Los pecados del BCE

Inflación, escándalos monetarios y crédito financiero sin fin del Banco Central Europeo

Table of Contents

Introduction

El BCE no ha hecho nada bueno y este libro expone todos sus sucios secretos.

Este libro no sólo es una lectura fascinante, sino también una acusación condenatoria contra el Banco Central Europeo. Desvela los numerosos escándalos monetarios y las debacles del crédito financiero que han asolado a la institución en los últimos años.

El Banco Central Europeo (BCE) se ha visto envuelto en una serie de polémicas en los últimos años, desde acusaciones de blanqueo de dinero hasta preocupaciones sobre su gestión de la crisis financiera de la eurozona. Quizá la crítica más contundente que se le hace al BCE es que no ha conseguido atajar la inflación, lo que ha provocado dificultades económicas a muchas personas en toda Europa. Las tasas de inflación no han dejado de aumentar desde la creación del BCE en 1998, y aunque el banco ha puesto en marcha una serie de medidas para intentar bajar los precios, hasta ahora no han tenido éxito. Además, el BCE ha sido acusado de conceder créditos financieros de forma imprudente a los bancos y otras instituciones financieras durante la crisis, sin evaluar adecuadamente si podían pagarlos. Como resultado, el BCE ha sido criticado tanto por los políticos como por el público en general.

Si está enfadado por la forma en que el BCE ha estado manejando mal nuestro dinero, entonces este es el libro para usted. Te dará todos los datos y cifras que necesitas para hacer oír tu voz. Y puede que incluso te inspire para pasar a la acción y exigir un cambio a nuestras corruptas instituciones financieras.

Inflación

En economía, la **inflación** es un aumento general de los precios de los bienes y servicios en una economía. Cuando el nivel general de precios aumenta, cada unidad monetaria compra menos bienes y servicios; por consiguiente, la inflación corresponde a una reducción del poder adquisitivo del dinero. Lo contrario de la inflación es la deflación, una disminución sostenida del nivel general de precios de los bienes y servicios. La medida habitual de la inflación es la **tasa de inflación**, la variación porcentual anualizada de un índice general de precios. Como no todos los precios aumentan al mismo ritmo, se suele utilizar para ello el índice de precios al consumo (IPC). El índice de costes laborales también se utiliza para los salarios en Estados Unidos.

La mayoría de los economistas están de acuerdo en que los altos niveles de inflación y la hiperinflación - que tienen efectos gravemente perturbadores en la economía real - están causados por un crecimiento excesivo y persistente de la oferta monetaria. Las opiniones sobre las tasas de inflación bajas o moderadas son más variadas. La inflación baja o moderada puede atribuirse a las fluctuaciones de la demanda real de bienes y servicios, o a los cambios en la oferta disponible, como en el caso de la escasez. La inflación moderada afecta a las economías de forma positiva y negativa. Los efectos negativos incluirían un aumento del coste de oportunidad de tener dinero, la incertidumbre sobre la inflación futura, que puede desalentar la inversión y el ahorro, y si la inflación fuera lo suficientemente rápida, la escasez de bienes, ya que los consumidores empiezan a acumular por temor a que los precios aumenten en el futuro. Los efectos positivos incluyen la reducción del desempleo debido a la rigidez de los salarios nominales, permitiendo al banco central una mayor libertad en la ejecución de la política monetaria, fomentando los préstamos y la inversión en lugar de la acumulación de dinero, y evitando las ineficiencias asociadas a la deflación.

Actualmente, la mayoría de los economistas son partidarios de una tasa de inflación baja y constante. Una inflación baja (en lugar de cero o negativa) reduce la gravedad de las recesiones económicas al permitir que el mercado laboral se ajuste más rápidamente en una recesión, y reduce el riesgo de que una trampa de liquidez impida a la política monetaria estabilizar la economía, al tiempo que evita los costes asociados a una inflación elevada. La tarea de mantener la tasa de inflación baja y estable suele recaer en las autoridades monetarias. Por lo general, estas autoridades monetarias son los bancos centrales que controlan la política monetaria mediante la fijación de los tipos de interés, realizando operaciones de mercado abierto y (más raramente) modificando los requisitos de reserva de los bancos comerciales.

Definición

El término tiene su origen en el latín *inflare* (inflar) y se utilizó inicialmente en 1838 para referirse a una inflación de la moneda, según el Oxford English Dictionary (1989).

También se utilizó para los préstamos y la inflación de precios en los años posteriores, hasta 1874. Durante la Guerra Civil estadounidense (1861-65), el dólar de oro fue sustituido por el billete verde, un papel moneda emitido por el gobierno que perdió rápidamente parte de su valor; por tanto, esta definición de la palabra parece haberse potenciado.

El término *inflación* apareció en Estados Unidos a mediados del siglo XIX, "no en referencia a algo que ocurre con los precios, sino como algo que ocurre con el papel moneda". Hoy, sin embargo, se entiende que se refiere a un aumento sostenido del nivel general de precios (a diferencia de las fluctuaciones a corto plazo).

Conceptos relacionados

Otros conceptos económicos relacionados con la inflación son deflación - una caída del nivel general de precios; desinflación - una disminución de la tasa de inflación; hiperinflación - una espiral inflacionista fuera de control; estanflación - una combinación de inflación, lento crecimiento económico y alto desempleo; reflación - un intento de aumentar el nivel general de precios para contrarrestar las presiones deflacionistas; e inflación de los precios de los activos - un aumento general de los precios de los activos financieros sin un aumento correspondiente de los precios de los bienes o servicios; agflación - un aumento avanzado del precio de los alimentos y de los cultivos agrícolas industriales en comparación con el aumento general de los precios.

Las formas más específicas de inflación se refieren a sectores cuyos precios varían de forma semi-independiente de la tendencia general. La "inflación de los precios de la vivienda" se aplica a las variaciones del índice de precios de la vivienda, mientras que la "inflación de la energía" está dominada por los costes del petróleo y el gas.

Economía clásica

En el siglo XIX, los economistas clasificaron tres factores distintos que provocan un aumento o una disminución del precio de los bienes: un cambio en el *valor* o en los costes de producción del bien, un cambio en el *precio del dinero*, que entonces solía ser una fluctuación en el precio del contenido metálico de la moneda, y la *depreciación de la moneda* resultante de un aumento de la oferta de moneda en relación con la cantidad de metal canjeable que la respalda. Tras la proliferación de billetes privados impresos durante la Guerra Civil estadounidense, el término "inflación" empezó a aparecer como referencia directa a la *depreciación de la moneda* que se producía cuando la cantidad de billetes canjeables superaba la cantidad de metal disponible para su canje. En aquella época, el término inflación se refería a la devaluación de la moneda, y no a un aumento del precio de las mercancías. Esta relación entre el exceso de oferta de billetes y la consiguiente depreciación de su valor fue observada por los primeros economistas clásicos, como David Hume y David Ricardo, que luego examinarían y debatirían el efecto de una devaluación de la moneda (más tarde denominada *inflación monetaria*) sobre el precio de las mercancías (más tarde denominada *inflación de precios,* y finalmente sólo *inflación*).

Historia

La inflación presupone el establecimiento del dinero, que surgió como una construcción social imprevista a lo largo de un periodo de quizás 2.500 años como resultado de una serie de innovaciones y avances. Alcanzó su punto álgido con la aparición de la moneda en Lidia y Jonia hacia el año 630 a.C., así como en China hacia la misma época. Esto indica que la inflación no puede ser más antigua que el dinero.

Históricamente, cuando se utilizaba el dinero mercancía, los períodos de inflación y deflación se alternaban en función de la situación de la economía. Sin embargo, cuando se producían grandes infusiones prolongadas de oro o plata en una economía, esto podía conducir a largos períodos de inflación.

La adopción de la moneda fiduciaria por parte de muchos países, a partir del siglo XVIII, hizo posible variaciones mucho mayores en la oferta de dinero. El rápido aumento de la oferta monetaria ha tenido lugar en varias ocasiones en países que experimentaban crisis políticas, produciendo hiperinflaciones, es decir, episodios de tasas de inflación extremas muy superiores a las observadas en períodos anteriores de dinero mercancía. La hiperinflación de la República de Weimar en Alemania es un ejemplo notable. Actualmente, la hiperinflación en Venezuela es la más alta del mundo, con una tasa de inflación anual del 833.997% a octubre de 2018.

Históricamente, se han producido inflaciones de diversa magnitud, desde la revolución de los precios del siglo XVI, impulsada por la avalancha de oro y, sobre todo, de plata incautada y extraída por los españoles en América Latina, hasta la mayor inflación de papel moneda de todos los tiempos en Hungría tras la Segunda Guerra Mundial.

Sin embargo, desde la década de 1980, la inflación se ha mantenido baja y estable en los países con bancos centrales independientes. Esto ha llevado a una moderación del ciclo económico y a una reducción de la variación de la mayoría de los indicadores macroeconómicos, lo que se conoce como la Gran Moderación.

Períodos históricos de inflación

El rápido aumento de la cantidad de dinero o de la oferta monetaria global se ha producido en muchas sociedades diferentes a lo largo de la historia, cambiando con las diferentes formas de dinero utilizadas. Por ejemplo, cuando se utilizaba la plata como moneda, el gobierno podía recoger las monedas de plata, fundirlas, mezclarlas con otros metales como el cobre o el plomo y volver a emitirlas con el mismo valor nominal, un proceso conocido como degradación. Cuando Nerón asumió el cargo de emperador romano en el año 54 d.C., el denario contenía más del 90% de plata, pero hacia el año 270 apenas quedaba plata. Al diluir la plata con otros metales, el gobierno podía emitir más monedas sin aumentar la cantidad de plata utilizada para fabricarlas. Cuando el coste de cada moneda se reduce de este modo, el gobierno se beneficia de un aumento del señoreaje. Esta práctica aumentaría la oferta monetaria, pero al mismo tiempo se reduciría el valor relativo de cada moneda. Al disminuir el valor relativo de las monedas, los consumidores tendrían que dar más monedas a cambio de los mismos bienes y servicios que antes. Estos bienes y servicios experimentarían un aumento de precio al reducirse el valor de cada moneda.

La antigua China

La China de la dinastía Song introdujo la práctica de imprimir papel moneda para crear moneda fiduciaria. Durante la dinastía mongola Yuan, el gobierno gastó mucho dinero en costosas guerras y reaccionó imprimiendo más dinero, lo que provocó la inflación. La dinastía Ming, temiendo la inflación que asolaba a la dinastía Yuan, rechazó inicialmente el uso de papel moneda y volvió a utilizar monedas de cobre.

Egipto medieval

Durante el hajj del rey maliense Mansa Musa a La Meca en 1324, se dice que le acompañó una caravana de camellos que incluía miles de personas y casi un centenar de camellos. A su paso por El Cairo, gastó o regaló tanto oro que hizo bajar su precio en Egipto durante más de una década, reduciendo su poder adquisitivo. Un historiador árabe contemporáneo comentó sobre la visita de Mansa Musa

El oro tenía un precio elevado en Egipto hasta que llegaron ese año. El mithqal no bajaba de 25 dirhams y generalmente estaba por encima, pero a partir de ese momento su valor bajó y se abarató su precio y se ha mantenido barato hasta ahora. El mithqal no supera los 22 dirhams o menos. Este ha sido el estado de las cosas durante unos doce años hasta el día de hoy debido a la gran cantidad de oro que trajeron a Egipto y gastaron allí […].

"Revolución de los precios" en Europa Occidental

Desde la segunda mitad del siglo XV hasta la primera mitad del XVII, Europa Occidental experimentó un importante ciclo inflacionista conocido como la "revolución de los precios", con una media de precios que se multiplicó por seis en 150 años. Esto se atribuye a menudo a la afluencia de oro y plata del Nuevo Mundo a la España de los Habsburgo, con una mayor disponibilidad de plata en una Europa que antes carecía de efectivo, lo que provocó una inflación generalizada. El repunte de la población europea tras la peste negra comenzó antes de la llegada del metal del Nuevo Mundo, y puede haber iniciado un proceso de inflación que la plata del Nuevo Mundo agravó más tarde en el siglo XVI.

Medidas

Dado que hay muchas medidas posibles del nivel de precios, hay muchas medidas posibles de la inflación de los precios. Lo más frecuente es que el término "inflación" se refiera a la subida de un índice de precios amplio que represente el nivel general de precios de los bienes y servicios de la economía. El índice de precios al consumo (IPC), el índice de precios de los gastos de consumo personal (PCEPI) y el deflactor del PIB son algunos ejemplos de índices de precios amplios. Sin embargo, la "inflación" también puede utilizarse para describir un aumento del nivel de precios en un conjunto más limitado de activos, bienes o servicios de la economía, como los productos básicos (incluidos los alimentos, el combustible y los metales), los activos tangibles (como los bienes inmuebles), los activos financieros (como las acciones y los bonos), los servicios (como el ocio y la atención sanitaria) o la mano de obra. Aunque a menudo se dice casualmente que los valores de los activos de capital "se inflan", esto no debe confundirse con la inflación como término definido; una descripción más precisa para el aumento del valor de un activo de capital es la apreciación. El FBI (CCI), el índice de precios al productor, y el Índice de Coste del Empleo (ICE) son ejemplos de índices de precios estrechos utilizados para medir la inflación de los precios en sectores concretos de la economía. La inflación subyacente es una medida de la inflación de un subconjunto de precios al consumo que excluye los precios de los alimentos y la energía, que suben y bajan más que otros precios a corto plazo. La Junta de la Reserva Federal presta especial atención a la tasa de inflación subyacente para obtener una mejor estimación de las tendencias futuras de la inflación a largo plazo en general.

La tasa de inflación se calcula en la mayoría de los casos determinando el movimiento o la variación de un índice de precios, normalmente el índice de precios al consumo.La tasa de inflación es la variación porcentual de un índice de precios a lo largo del tiempo. El índice de precios al por menor también es una medida de la inflación que se utiliza habitualmente en el Reino Unido. Es más amplio que el IPC y contiene una cesta más amplia de bienes y servicios.

Dada la elevada inflación de los últimos tiempos, el IPR es indicativo de las experiencias de un amplio abanico de tipos de hogares, especialmente de los de bajos ingresos.

Para ilustrar el método de cálculo, en enero de 2007 el índice de precios al consumo de EE.UU. era de 202,416 y en enero de 2008 de 211,080. La fórmula para calcular la tasa porcentual anual de inflación del IPC en el transcurso del año es: {\displaystyle \left({\frac {211,080-

$202,416\}\{202,416\}\right)\times 100\%=4,28\%\}$. La tasa de inflación resultante para el IPC en este periodo de un año es del 4,28%, lo que significa que el nivel general de precios para los consumidores típicos de EE.UU. aumentó aproximadamente un cuatro por ciento en 2007.

Otros índices de precios muy utilizados para calcular la inflación de los precios son los siguientes:

- **Índices de precios de producción** (IPP) que miden las variaciones medias de los precios que reciben los productores nacionales por su producción. Se diferencia del IPC en que las subvenciones a los precios, los beneficios y los impuestos pueden hacer que el importe recibido por el productor difiera de lo que pagó el consumidor. Además, suele haber un retraso entre un aumento del IPP y un eventual aumento del IPC. El índice de precios de producción mide la presión que ejercen sobre los productores los costes de sus materias primas. Esto puede ser "trasladado" a los consumidores, o puede ser absorbido por los beneficios, o compensado por el aumento de la productividad. En India y Estados Unidos, una versión anterior del IPP se denominaba índice de precios al por mayor.
- **Índices de precios de productos básicos**, que miden el precio de una selección de productos básicos. En este caso, los índices de precios de los productos básicos se ponderan en función de la importancia relativa de los componentes en el coste "total" de un empleado.
- **Índices de precios subyacentes**: como los precios de los alimentos y el petróleo pueden cambiar rápidamente debido a los cambios en las condiciones de la oferta y la demanda en los

mercados de alimentos y petróleo, puede ser difícil detectar la tendencia a largo plazo de los niveles de precios cuando se incluyen esos precios. Por ello, la mayoría de los organismos estadísticos presentan también una medida de "inflación subyacente", que elimina los componentes más volátiles (como los alimentos y el petróleo) de un índice de precios amplio como el IPC. Dado que la inflación subyacente se ve menos afectada por las condiciones de oferta y demanda a corto plazo en mercados específicos, los bancos centrales se basan en ella para medir mejor el efecto inflacionista de la política monetaria actual.

Otras medidas comunes de la inflación son:

- **El deflactor del PIB** es una medida del precio de todos los bienes y servicios incluidos en el producto interior bruto (PIB). El Departamento de Comercio de EE.UU. publica una serie de deflactores para el PIB de EE.UU., definida como su medida del PIB nominal dividida por su medida del PIB real.

$$\therefore {\displaystyle {\mbox{deflactor del PIB}}={\frac} {\mbox{PIB nominal}} {\mbox{PIB real}}}$$

- **Inflación regional** La Oficina de Estadísticas Laborales desglosa los cálculos del IPC-U en función de las distintas regiones de Estados Unidos.
- **Inflación histórica** Antes de que la recopilación de datos econométricos coherentes se convirtiera en una norma para los gobiernos, y con el fin de comparar los niveles de vida absolutos, en lugar de los relativos, varios economistas han calculado cifras de inflación imputadas. La mayoría de los datos de inflación

antes de principios del siglo XX se imputa sobre la base de los costes conocidos de los bienes, en lugar de recopilarlos en ese momento. También se utiliza para ajustar las diferencias en el nivel de vida real por la presencia de la tecnología.

- **La inflación de los precios de los activos** es un aumento indebido de los precios de los activos reales o financieros, como las acciones (participaciones) y los bienes inmuebles. Aunque no existe un índice de este tipo ampliamente aceptado, algunos banqueros centrales han sugerido que sería mejor aspirar a estabilizar una medida más amplia de la inflación del nivel general de precios que incluya algunos precios de los activos, en lugar de estabilizar únicamente el IPC o la inflación subyacente. La razón es que, al subir los tipos de interés cuando suben los precios de las acciones o de los inmuebles, y bajarlos cuando caen los precios de estos activos, los bancos centrales podrían tener más éxito a la hora de evitar burbujas y desplomes en los precios de los activos.

Problemas de medición

La medición de la inflación en una economía requiere medios objetivos para diferenciar los cambios en los precios nominales de un conjunto común de bienes y servicios, y distinguirlos de las variaciones de precios resultantes de los cambios de valor, como el volumen, la calidad o el rendimiento. Por ejemplo, si el precio de una lata de maíz pasa de 0,90 a 1,00 dólares en el transcurso de un año, sin que cambie la calidad, esta diferencia de precios representa la inflación. Sin embargo, este único cambio de precio no representaría la inflación general en una economía global. Para medir la inflación general, se mide la variación de los precios de una amplia "cesta" de bienes y servicios representativos. Este es el propósito de un índice de precios, que es el precio combinado de una "cesta" de muchos bienes y servicios. El precio combinado es la suma de los precios ponderados de los artículos de la "cesta". El precio ponderado se calcula multiplicando el precio unitario de un artículo por el número de ese artículo que compra el consumidor medio. Los precios ponderados son un medio necesario para medir el efecto de las variaciones de los precios unitarios individuales en la inflación general de la economía. El Índice de Precios de Consumo, por ejemplo, utiliza datos recogidos mediante encuestas a los hogares para determinar qué proporción del gasto total del consumidor típico se destina a bienes y servicios específicos, y pondera los precios medios de esos artículos en consecuencia. Esos precios medios ponderados se combinan para calcular el precio global. Para relacionar mejor las variaciones de los precios a lo largo del tiempo, los índices suelen elegir un precio del "año base" y asignarle un valor de 100.

Los precios del índice en los años posteriores se expresan entonces en relación con el precio del año base. Al comparar las medidas de inflación de varios periodos hay que tener en cuenta también el efecto base.

Las medidas de inflación suelen modificarse a lo largo del tiempo, ya sea por el peso relativo de los bienes en la cesta o por la forma en que se comparan los bienes y servicios del presente con los del pasado. Las ponderaciones de la cesta se actualizan periódicamente, normalmente cada año, para adaptarse a los cambios en el comportamiento de los consumidores. Los cambios repentinos en el comportamiento de los consumidores pueden introducir un sesgo de ponderación en la medición de la inflación. Por ejemplo, durante la pandemia de COVID-19 se ha demostrado que la cesta de bienes y servicios ya no era representativa del consumo durante la crisis, ya que numerosos bienes y servicios ya no podían consumirse debido a las medidas de contención gubernamentales ("lock-downs").

Con el tiempo, también se realizan ajustes en el tipo de bienes y servicios seleccionados para reflejar los cambios en los tipos de bienes y servicios adquiridos por los "consumidores típicos". Pueden introducirse nuevos productos, desaparecer otros más antiguos, cambiar la calidad de los productos existentes y cambiar las preferencias de los consumidores. Tanto las clases de bienes y servicios que se incluyen en la "cesta" como el precio ponderado utilizado en las medidas de inflación se modificarán con el tiempo para seguir el ritmo de la evolución del mercado. Los diferentes segmentos de la población pueden consumir naturalmente diferentes "cestas" de bienes y servicios e incluso pueden experimentar diferentes tasas de inflación. Se argumenta que las empresas han innovado más para bajar los precios a las familias ricas que a las pobres.

Las cifras de la inflación suelen ajustarse estacionalmente para diferenciar los cambios cíclicos previstos en los costes. Por ejemplo, se espera que los costes de calefacción de los hogares aumenten en los meses más fríos, y a menudo se utilizan ajustes estacionales cuando se mide la inflación para compensar los picos cíclicos de la energía o el combustible.

demanda. Las cifras de la inflación pueden promediarse o someterse a técnicas estadísticas para eliminar el ruido estadístico y la volatilidad de los precios individuales.

Al examinar la inflación, las instituciones económicas pueden centrarse sólo en determinados tipos de precios, o *índices especiales*, como el índice de inflación subyacente que utilizan los bancos centrales para formular la política monetaria.

La mayoría de los índices de inflación se calculan a partir de medias ponderadas de determinadas variaciones de precios. Esto introduce necesariamente una distorsión y puede dar lugar a legítimas disputas sobre cuál es la verdadera tasa de inflación. Este problema puede superarse incluyendo en el cálculo todas las variaciones de precios disponibles y eligiendo después el valor medio. En otros casos, los gobiernos pueden informar intencionadamente de tasas de inflación falsas; por ejemplo, durante la presidencia de Cristina Kirchner (2007-2015) el gobierno de Argentina fue criticado por manipular datos económicos, como las cifras de inflación y PIB, para obtener beneficios políticos y reducir los pagos de su deuda indexada a la inflación.

Expectativas de inflación

Las expectativas de inflación o la inflación esperada es la tasa de inflación que se anticipa para algún período de tiempo en el futuro previsible. Existen dos enfoques principales para modelar la formación de las expectativas de inflación. Las expectativas adaptativas las modelizan como una media ponderada de lo que se esperaba un período antes y la tasa de inflación real que se produjo más recientemente. Las expectativas racionales las modelizan como insesgadas, en el sentido de que la tasa de inflación esperada no está sistemáticamente por encima o por debajo de la tasa de inflación que realmente se produce.

La encuesta de la Universidad de Michigan es una de las más antiguas sobre las expectativas de inflación.

Las expectativas de inflación afectan a la economía de varias maneras. Están más o menos integradas en los tipos de interés nominales, de modo que un aumento (o una disminución) de la tasa de inflación prevista suele dar lugar a un aumento (o una disminución) de los tipos de interés nominales, con un efecto menor, si es que hay alguno, en los tipos de interés reales. Además, una mayor inflación esperada tiende a incorporarse a la tasa de aumento de los salarios, lo que tiene un efecto menor, si es que hay alguno, en los cambios de los salarios reales. Además, la respuesta de las expectativas inflacionistas a la política monetaria puede influir en la división de los efectos de la política entre la inflación y el desempleo (véase la credibilidad de la política monetaria).

Causas

Una gran cantidad de literatura económica ha abordado la cuestión de qué causa la inflación y qué efecto tiene. Ha habido muchas y diversas escuelas de pensamiento sobre el tema. Desde la década de 1920 pueden dividirse en dos grandes grupos.

Visión monetarista

Los monetaristas creen que el factor más importante que influye en la inflación o la deflación es la rapidez con la que crece o se reduce la oferta monetaria. Consideran que la política fiscal, o el gasto público y los impuestos, son ineficaces para controlar la inflación. El economista monetarista Milton Friedman declaró famosamente: *"La inflación es siempre y en todas partes un fenómeno monetario".*

Los monetaristas afirman que el estudio empírico de la historia monetaria demuestra que la inflación siempre ha sido un fenómeno monetario. La teoría cuantitativa del dinero, en pocas palabras, dice que cualquier cambio en la cantidad de dinero en un sistema cambiará el nivel de precios. Esta teoría parte de la ecuación del intercambio:

$$MV=PQ$$

donde

M es la cantidad nominal de dinero;

{\displaystyle V} es la velocidad del dinero en los gastos finales;

{\displaystyle P} es el nivel general de precios;

{\displaystyle Q} es un índice del valor real de los gastos finales;

En esta fórmula, el nivel general de precios está relacionado con el nivel de actividad económica real (*Q*), la cantidad de dinero (*M*) y la velocidad del dinero (*V*). La fórmula es una identidad porque la velocidad del dinero (*V*) se define como la relación entre el gasto nominal final ({\displaystyle PQ}) y la cantidad de dinero (*M*).

Los monetaristas suponen que la velocidad del dinero no se ve afectada por la política monetaria (al menos a largo plazo), y que el valor real de la producción viene determinado a largo plazo por la capacidad productiva de la economía. Bajo estos supuestos, el principal motor de la variación del nivel general de precios son los cambios en la cantidad de dinero. Con una velocidad exógena (es decir, la velocidad se determina externamente y no está influida por la política monetaria), la oferta monetaria determina el valor de la producción nominal (que equivale al gasto final) a corto plazo.

En la práctica, la velocidad no es exógena a corto plazo, por lo que la fórmula no implica necesariamente una relación estable a corto plazo entre la oferta monetaria y la producción nominal. Sin embargo, a largo plazo, se supone que los cambios en la velocidad están determinados por la evolución del mecanismo de pagos. Si la política monetaria no afecta relativamente a la velocidad, la tasa de aumento de los precios a largo plazo (la tasa de inflación) es igual a la tasa de crecimiento a largo plazo de la oferta monetaria más la tasa exógena de crecimiento de la velocidad a largo plazo menos la tasa de crecimiento a largo plazo del producto real.

Visión keynesiana

La economía keynesiana propone que los cambios en la oferta monetaria no afectan directamente a los precios a corto plazo, y que la inflación visible es el resultado de las presiones de la demanda en la economía que se expresan en los precios.

Hay tres fuentes principales de inflación, como parte de lo que Robert J. Gordon llama el "modelo triangular":

- *La inflación por atracción de la demanda* está causada por el aumento de la demanda agregada debido al incremento del gasto privado y público, etc. La inflación de demanda fomenta el crecimiento económico, ya que el exceso de demanda y las condiciones favorables del mercado estimularán la inversión y la expansión.

- *La inflación por empuje de los costes*, también llamada "inflación por choque de la oferta", está causada por una caída de la oferta agregada (producción potencial). Puede deberse a catástrofes naturales, guerras o al aumento de los precios de los insumos. Por ejemplo, una disminución repentina de la oferta de petróleo, que provoque un aumento de su precio, puede provocar una inflación por empuje de los costes. Los productores, para los que el petróleo forma parte de sus costes, podrían trasladarlo a los consumidores en forma de aumento de precios. Otro ejemplo es el de las pérdidas aseguradas inesperadamente elevadas, ya sean legítimas (catástrofes) o fraudulentas (que pueden ser especialmente frecuentes en tiempos de recesión). Una inflación elevada puede incitar a los trabajadores a exigir rápidos aumentos salariales, para seguir el ritmo de los precios al consumo. En la teoría de la inflación por empuje de los costes, el aumento de los salarios puede, a su vez, contribuir a alimentar la inflación. En el caso de la negociación colectiva, el crecimiento salarial se fijará en función de las expectativas inflacionistas, que serán mayores cuando la inflación sea alta. Esto puede provocar una espiral salarial. En cierto sentido, la inflación engendra más expectativas inflacionistas, que engendran más inflación.
- La inflación incorporada es inducida por las expectativas de adaptación, y suele estar vinculada a la "espiral precio/salario". En ella, los trabajadores intentan mantener sus salarios al ritmo de los precios (por encima de la tasa de inflación) y las empresas trasladan estos mayores costes laborales a sus clientes en forma de precios más altos.

precios, lo que conduce a un bucle de retroalimentación. La inflación incorporada refleja acontecimientos del pasado, por lo que podría considerarse una inflación de resaca.

La teoría de la demanda y la atracción afirma que la inflación se acelera cuando la demanda agregada aumenta por encima de la capacidad de producción de la economía (su producción potencial). Por lo tanto, cualquier factor que aumente la demanda agregada puede causar inflación. Sin embargo, a largo plazo, la demanda agregada sólo puede mantenerse por encima de la capacidad productiva si aumenta la cantidad de dinero en circulación más rápidamente que la tasa de crecimiento real de la economía. Otra causa (aunque mucho menos común) puede ser un rápido descenso de la *demanda* de dinero, como ocurrió en Europa durante la peste negra, o en los territorios ocupados por Japón justo antes de su derrota en 1945.

El efecto del dinero en la inflación es más evidente cuando los gobiernos financian el gasto en una crisis, como una guerra civil, imprimiendo dinero en exceso. Esto conduce a veces a la hiperinflación, una condición en la que los precios pueden duplicarse en un mes o incluso diariamente. También se cree que la oferta monetaria desempeña un papel importante en la determinación de niveles moderados de inflación, aunque hay diferencias de opinión sobre su importancia. Por ejemplo, los economistas monetaristas creen que el vínculo es muy fuerte; los economistas keynesianos, por el contrario, suelen hacer hincapié en el papel de la demanda agregada en la economía más que en la oferta monetaria para determinar la inflación. Es decir, para los keynesianos, la oferta monetaria es sólo un determinante de la demanda agregada.

Algunos economistas keynesianos tampoco están de acuerdo con la idea de que los bancos centrales controlen totalmente la oferta monetaria, argumentando que los bancos centrales tienen poco control, ya que la oferta monetaria se adapta a la demanda de crédito bancario emitido por los bancos comerciales. Esto se conoce como la teoría del dinero endógeno, y ha sido defendida con fuerza por los postkeynesianos desde los años 60. Esta posición no es universalmente aceptada: los bancos crean dinero concediendo préstamos, pero el volumen agregado de estos préstamos disminuye a medida que aumentan los tipos de interés reales. Así, los bancos centrales pueden influir en la oferta monetaria abaratando o encareciendo el dinero, aumentando o disminuyendo su producción.

Un concepto fundamental en el análisis de la inflación es la relación entre la inflación y el desempleo, denominada curva de Phillips. Este modelo sugiere que existe un compromiso entre la estabilidad de los precios y el empleo. Por lo tanto, un cierto nivel de inflación podría considerarse deseable para minimizar el desempleo. El modelo de la curva de Phillips describió bien la experiencia de Estados Unidos en la década de 1960, pero no pudo describir la estanflación experimentada en la década de 1970. Así, la macroeconomía moderna describe la inflación mediante una curva de Phillips que puede desplazarse debido a cuestiones como los choques de oferta y la inflación estructural. Los primeros se refieren a sucesos como la crisis del petróleo de 1973, mientras que los segundos se refieren a la espiral de precios y salarios y a las expectativas inflacionistas que implican que la inflación es la nueva normalidad. Así pues, la curva de Phillips representa únicamente el componente de demanda del modelo triangular.

Otro concepto importante es el de producción potencial (a veces llamado "producto interior bruto natural"), un nivel de PIB en el que la economía se encuentra en su nivel óptimo de producción dadas las limitaciones institucionales y naturales. (Este nivel de producción corresponde a la tasa de desempleo no acelerada, NAIRU, o la tasa "natural" de desempleo o la tasa de desempleo de pleno empleo). Si el PIB supera su potencial (y el desempleo está por debajo de la NAIRU), la teoría dice que la inflación *se acelerará* a medida que los proveedores aumenten sus precios y la inflación incorporada empeore. Si el PIB cae por debajo de su nivel potencial (y el desempleo está por encima de la NAIRU), la inflación se *desacelerará a medida* que los proveedores intenten cubrir el exceso de capacidad, reduciendo los precios y socavando la inflación incorporada.

Sin embargo, uno de los problemas de esta teoría para la elaboración de políticas es que el nivel exacto del producto potencial (y de la NAIRU) es generalmente desconocido y tiende a cambiar con el tiempo. La inflación también parece actuar de forma asimétrica, subiendo más rápido de lo que baja. Puede cambiar debido a la política: por ejemplo, el elevado desempleo bajo la Primera Ministra británica Margaret Thatcher podría haber provocado un aumento de la NAIRU
(y una caída del potencial) porque muchos de los desempleados se encontraron como desempleados estructurales, incapaces de encontrar trabajos que se ajustaran a sus habilidades. Un aumento del desempleo estructural

El desempleo implica que un porcentaje menor de la población activa puede encontrar trabajo en la NAIRU, donde la economía evita cruzar el umbral hacia la aceleración de la inflación.

Desempleo

Se ha establecido una conexión entre la inflación y el desempleo desde la aparición del desempleo a gran escala en el siglo XIX, y se sigue estableciendo esa conexión en la actualidad. Sin embargo, la tasa de desempleo generalmente sólo afecta a la inflación a corto plazo, pero no a largo plazo. A largo plazo, la velocidad del dinero es mucho más predictiva de la inflación que el bajo desempleo.

En la economía marxiana, los desempleados sirven de ejército de reserva de mano de obra, que frena la inflación salarial. En el siglo XX, conceptos similares en la economía keynesiana incluyen la NAIRU (tasa de inflación no acelerada del desempleo) y la curva de Phillips.

Aprovechamiento en el marco de la consolidación

La inelasticidad keynesiana de los precios puede contribuir a la inflación cuando las empresas se consolidan, tendiendo a apoyar las condiciones de monopolio o monopsonio en cualquier punto de la cadena de suministro de bienes o servicios.
Cuando esto ocurre, las empresas pueden proporcionar un mayor valor al accionista llevándose una mayor proporción de beneficios que invirtiendo en proporcionar mayores volúmenes de sus productos.

Entre los ejemplos se encuentra la subida de los precios de la gasolina y otros combustibles fósiles en el primer trimestre de 2022. Poco después de que amainaran las sacudidas iniciales de los precios de la energía causadas por la invasión rusa de Ucrania en 2022, las compañías petroleras descubrieron que las constricciones de la cadena de suministro, ya exacerbadas por la actual pandemia mundial de COVID-19, favorecían la inelasticidad de los precios, es decir, empezaron a bajar los precios para ajustarse al precio del petróleo cuando éste bajaba mucho más lentamente de lo que habían aumentado sus precios cuando los costes subían. Las cinco mayores compañías de gasolina de California, Chevron Corporation, Marathon Petroleum, Valero Energy, PBF Energy y Phillips 66, responsables del 96% del combustible de transporte vendido en el estado, participaron en este comportamiento, cosechando beneficios en el primer trimestre mucho mayores que cualquiera de sus resultados trimestrales en los años anteriores. El 19 de mayo de 2022, la Cámara de Representantes de EE.UU. aprobó un proyecto de ley para evitar este tipo de "precios abusivos" abordando los beneficios inesperados resultantes, pero es poco probable que prevalezca contra el desafío de la minoría filibustera en el Senado.

Del mismo modo, en el primer trimestre de 2022, el gigante del envasado de carne Tyson Foods se basó en la inelasticidad de los precios a la baja en el pollo envasado y productos relacionados para aumentar sus beneficios a unos 500 millones de dólares, respondiendo a un aumento de 1.500 millones de dólares en sus costes con casi 2.000 millones de dólares en subidas de precios. Los tres principales competidores de Tyson, al no poder competir con precios más bajos porque la constricción de la cadena de suministro no soportaría un aumento de los volúmenes, siguieron su ejemplo. El trimestre de Tyson fue uno de los más rentables, ampliando su margen operativo en un 38%.

Efecto del crecimiento económico

Si el crecimiento económico coincide con el crecimiento de la oferta monetaria, la inflación no debería producirse cuando todo lo demás es igual. Una gran variedad de factores puede afectar a la tasa de ambos. Por ejemplo, la inversión en la producción de mercado, la infraestructura, la educación y la atención sanitaria preventiva pueden hacer crecer una economía en mayor medida que el gasto de inversión.

Teoría de las expectativas racionales

La teoría de las expectativas racionales sostiene que los agentes económicos miran racionalmente hacia el futuro cuando tratan de maximizar su bienestar, y no responden únicamente a los costes de oportunidad y a las presiones inmediatas. Desde este punto de vista, aunque generalmente se basa en el monetarismo, las expectativas y estrategias futuras también son importantes para la inflación.

Una afirmación central de la teoría de las expectativas racionales es que los actores tratarán de "evitar" las decisiones del banco central actuando de forma que se cumplan las predicciones de una mayor inflación. Esto significa que los bancos centrales deben establecer su credibilidad en la lucha contra la inflación, o los agentes económicos apostarán por que el banco central ampliará la oferta monetaria con la suficiente rapidez para evitar la recesión, incluso a costa de exacerbar la inflación. Así, si un banco central tiene fama de ser "blando" con la inflación, cuando anuncie una nueva política de lucha contra la inflación con un crecimiento monetario restrictivo los agentes económicos no creerán que la política persistirá; sus expectativas inflacionistas seguirán siendo altas, y también la inflación. Por el contrario, si el banco central tiene fama de ser "duro" con la inflación, el anuncio de esa política será creído y las expectativas inflacionistas bajarán rápidamente, lo que permitirá que la propia inflación baje rápidamente con un mínimo trastorno económico.

Puntos de vista heterodoxos

Además, existen teorías sobre la inflación aceptadas por economistas ajenos a la corriente principal.

Vista austriaca

La Escuela Austriaca subraya que la inflación no es uniforme en todos los activos, bienes y servicios. La inflación depende de las diferencias en los mercados y del lugar donde el dinero y el crédito recién creados entran en la economía. Ludwig von Mises decía que la inflación debía referirse a un aumento de la cantidad de dinero, que no se ve compensado por un aumento correspondiente de la necesidad de dinero, y que la inflación de los precios se producirá necesariamente, dejando siempre una nación más pobre.

Doctrina de las facturas reales

La doctrina de los billetes reales (RBD) afirma que los bancos deben emitir su dinero a cambio de billetes reales a corto plazo de valor adecuado. Mientras los bancos sólo emitan un dólar a cambio de activos que valgan al menos un dólar, los activos del banco emisor se moverán naturalmente al ritmo de su emisión de dinero, y el dinero mantendrá su valor.

Si el banco no consigue o mantiene activos de valor adecuado, entonces el dinero del banco perderá valor, al igual que cualquier título financiero perderá valor si su respaldo de activos disminuye. La doctrina de los billetes reales (también conocida como teoría del respaldo) afirma, pues, que la inflación se produce cuando el dinero supera los activos de su emisor. La teoría cuantitativa del dinero, en cambio, afirma que la inflación se produce cuando el dinero supera la producción de bienes de la economía.

Las escuelas de economía monetaria y bancaria sostienen la RBD, que los bancos también deberían poder emitir moneda contra efectos comerciales, es decir, "efectos reales" que compran a los comerciantes. Esta teoría fue importante en el siglo XIX en los debates entre las escuelas "bancaria" y "monetaria" sobre la solidez monetaria, y en la formación de la Reserva Federal. Tras el colapso del patrón oro internacional después de 1913, y el paso a la financiación del déficit del gobierno, la RBD ha seguido siendo un tema menor, principalmente de interés en contextos limitados, como las juntas monetarias. En general, hoy se le tiene mala reputación, y Frederic Mishkin, un gobernador de la Reserva Federal llegó a decir que había sido "completamente desacreditado".

El debate entre la teoría monetaria, o cuantitativa, y las escuelas bancarias durante el siglo XIX prefigura las cuestiones actuales sobre la credibilidad del dinero en el presente. En el siglo XIX, las escuelas bancarias tenían mayor influencia en la política de Estados Unidos y Gran Bretaña, mientras que las escuelas monetarias tenían más influencia "en el continente", es decir, en los países no británicos, en particular en la Unión Monetaria Latina y la Unión Monetaria Escandinava.

En 2019 los historiadores monetarios Thomas M. Humphrey y Richard H. Timberlake publicaron "Gold, the Real Bills Doctrine, and the Fed: Sources of Monetary Disorder 1922-1938".

Efectos de la inflación

Efecto general

La inflación es la disminución del poder adquisitivo de una moneda. Es decir, cuando el nivel general de precios sube, cada unidad monetaria puede comprar menos bienes y servicios en conjunto. El efecto de la inflación difiere en los distintos sectores de la economía, ya que algunos se ven perjudicados y otros se benefician. Por ejemplo, con la inflación, los segmentos de la sociedad que poseen activos físicos, como propiedades, acciones, etc., se benefician de la subida del precio/valor de sus posesiones, cuando los que pretenden adquirirlos tendrán que pagar más por ellos. Su capacidad para hacerlo dependerá del grado de fijación de sus ingresos. Por ejemplo, los aumentos de los pagos a los trabajadores y a los pensionistas suelen ir por detrás de la inflación, y para algunas personas los ingresos son fijos. Además, las personas o instituciones con activos en efectivo experimentarán una disminución del poder adquisitivo del efectivo. Los aumentos del nivel de precios (inflación) erosionan el valor real del dinero (la moneda funcional) y de otros elementos con naturaleza monetaria subyacente.

Los deudores que tienen deudas con un tipo de interés nominal fijo verán cómo se reduce el tipo de interés "real" a medida que aumenta la tasa de inflación. El interés real de un préstamo es el tipo nominal menos la tasa de inflación. La fórmula $R = N-I$ se aproxima a la respuesta correcta siempre que tanto el tipo de interés nominal como la tasa de inflación sean pequeños. La ecuación correcta es $r = n/i$, donde r, n e i *se expresan* como cocientes (por ejemplo, 1,2 para +20%, 0,8 para -20%). Como ejemplo, cuando la tasa de inflación es del 3%, un préstamo con un tipo de interés nominal del 5% tendría un tipo de interés real de aproximadamente el 2% (de hecho, es del 1,94%). Cualquier aumento inesperado de la tasa de inflación reduciría el tipo de interés real. Los bancos y otros prestamistas se ajustan a este riesgo de inflación incluyendo una prima de riesgo de inflación a los préstamos a tipo de interés fijo, o prestando a un tipo ajustable.

Negativo

Las tasas de inflación altas o imprevisibles se consideran perjudiciales para la economía en general. Añaden ineficiencias en el mercado y dificultan a las empresas la elaboración de presupuestos o la planificación a largo plazo.

La inflación puede actuar como un lastre para la productividad, ya que las empresas se ven obligadas a desviar recursos de los productos y servicios para centrarse en los beneficios y en las pérdidas derivadas de la inflación monetaria. La incertidumbre sobre el futuro poder adquisitivo del dinero desalienta la inversión y el ahorro. La inflación también puede imponer incrementos fiscales ocultos. Por ejemplo, los ingresos inflados empujan a los contribuyentes a tipos impositivos más altos, a menos que los tramos impositivos estén indexados a la inflación.

Con una inflación elevada, el poder adquisitivo se redistribuye desde los que tienen ingresos nominales fijos, como algunos pensionistas cuyas pensiones no están indexadas al nivel de precios, hacia los que tienen ingresos variables cuyos ingresos pueden seguir mejor el ritmo de la inflación. Esta redistribución del poder adquisitivo también se producirá entre los socios comerciales internacionales. Cuando se imponen tipos de cambio fijos, una mayor inflación en una economía que en otra hará que las exportaciones de la primera se encarezcan y afecten a la balanza comercial. También puede haber efectos negativos para el comercio por el aumento de la inestabilidad de los precios del cambio de divisas causado por una inflación imprevisible.

Acaparamiento

Las personas compran productos duraderos y/o no perecederos y otros bienes como almacenes de riqueza, para evitar las pérdidas previstas por la disminución del poder adquisitivo del dinero, creando escasez de los bienes atesorados.

Revueltas sociales y disturbios

La inflación puede provocar manifestaciones masivas y revoluciones. Por ejemplo, la inflación, y en particular la de los alimentos, se considera una de las principales razones que provocaron la revolución tunecina de 2010-11 y la egipcia de 2011, según muchos observadores, entre ellos Robert Zoellick, presidente del Banco Mundial. El presidente tunecino Zine El Abidine Ben Ali fue derrocado, el presidente egipcio Hosni Mubarak también fue derrocado después de sólo 18
días de manifestaciones, y las protestas no tardaron en extenderse por muchos países del Norte de África y Oriente Medio.

Hiperinflación

Si la inflación se vuelve demasiado alta, puede hacer que la gente reduzca severamente su uso de la moneda, lo que lleva a una aceleración de la tasa de inflación. Una inflación elevada y acelerada interfiere gravemente en el funcionamiento normal de la economía, perjudicando su capacidad de suministro de bienes. La hiperinflación puede llevar al abandono del uso de la moneda del país (por ejemplo, como en Corea del Norte) y a la adopción de una moneda externa (dolarización).

Eficiencia distributiva

Un cambio en la oferta o en la demanda de un bien normalmente hará que cambie su precio relativo, señalando a los compradores y vendedores que deben reasignar recursos en respuesta a las nuevas condiciones del mercado. Pero cuando los precios cambian constantemente debido a la inflación, los cambios de precios debidos a auténticas señales de precios relativos son difíciles de distinguir de los cambios de precios debidos a la inflación general, por lo que los agentes tardan en responder a ellos. El resultado es una pérdida de eficiencia en la asignación.

Coste de la piel del calzado

Una inflación elevada aumenta el coste de oportunidad de mantener saldos en efectivo y puede inducir a la gente a mantener una mayor parte de sus activos en cuentas que pagan intereses. Sin embargo, dado que el efectivo sigue siendo necesario para realizar transacciones, esto significa que son necesarios más "viajes al banco" para realizar retiros, desgastando proverbialmente la "piel del zapato" con cada viaje.

Costes de los menús

Con una inflación elevada, las empresas deben cambiar sus precios con frecuencia para seguir los cambios en toda la economía. Pero, a menudo, cambiar los precios es en sí mismo una actividad costosa, ya sea explícitamente, como en el caso de la necesidad de imprimir nuevos menús, o implícitamente, como en el caso del tiempo y el esfuerzo adicionales necesarios para cambiar los precios constantemente.

Impuesto

La inflación sirve de impuesto oculto a las tenencias de divisas.

Positivo

Ajustes del mercado laboral

Los salarios nominales tardan en ajustarse a la baja. Esto puede conducir a un desequilibrio prolongado y a un elevado desempleo en el mercado laboral. Dado que la inflación permite que los salarios reales caigan aunque los nominales se mantengan constantes, una inflación moderada permite que los mercados laborales alcancen el equilibrio más rápidamente.

Espacio de maniobra

Las principales herramientas para controlar la oferta monetaria son la capacidad de fijar el tipo de descuento, el tipo al que los bancos pueden pedir prestado al banco central, y las operaciones de mercado abierto, que son las intervenciones del banco central en el mercado de bonos con el objetivo de afectar al tipo de interés nominal. Si una economía se encuentra en recesión con unos tipos de interés nominales ya bajos, o incluso nulos, el banco no puede reducir más estos tipos (ya que los tipos de interés nominales negativos son imposibles) para estimular la economía; esta situación se conoce como trampa de liquidez.

Efecto Mundell-Tobin

Según el efecto Mundell-Tobin, un aumento de la inflación conduce a un aumento de la inversión de capital, lo que lleva a un aumento del crecimiento:: El premio Nobel Robert Mundell observó que una inflación moderada induciría a los ahorradores a sustituir los préstamos por una parte de la tenencia de dinero como medio de financiar el gasto futuro. Esa sustitución provocaría la caída de los tipos de interés reales de compensación del mercado. El tipo de interés real más bajo induciría un mayor endeudamiento para financiar la inversión. En una línea similar, el premio Nobel James Tobin señaló que esa inflación haría que las empresas sustituyeran la inversión en capital físico (instalaciones, equipos e inventarios) por saldos monetarios en sus carteras de activos. Esa sustitución supondría optar por la realización de inversiones con tasas de rendimiento real más bajas. (Las tasas de rendimiento son más bajas porque las inversiones con tasas de rendimiento más altas ya se estaban realizando antes). Los dos efectos relacionados se conocen como el efecto Mundell-Tobin.

A menos que la economía ya esté invirtiendo en exceso según los modelos de la teoría del crecimiento económico, esa inversión extra resultante del efecto se consideraría positiva.

Inestabilidad con deflación

El economista S.C. Tsiang señaló que una vez que se espera una deflación sustancial, aparecerán dos efectos importantes; ambos como resultado de la sustitución de los préstamos por la tenencia de dinero como vehículo de ahorro. El primero es que la caída continua de los precios y el incentivo resultante para atesorar dinero provocarán una inestabilidad derivada del probable aumento del temor, mientras las reservas de dinero aumentan de valor, de que el valor de esas reservas está en peligro, ya que la gente se da cuenta de que un movimiento para cambiar esas reservas de dinero por bienes y activos reales hará subir rápidamente esos precios. Cualquier movimiento para gastar esas atesoras "una vez iniciado se convertiría en una tremenda avalancha, que podría arrasar durante mucho tiempo antes de gastarse a sí misma". Así, es probable que un régimen de deflación a largo plazo se vea interrumpido por picos periódicos de rápida inflación y las consiguientes perturbaciones económicas reales. El segundo efecto señalado por Tsiang es que, cuando los ahorradores han sustituido la tenencia de dinero por el préstamo en los mercados financieros, el papel de esos mercados en la canalización del ahorro hacia la inversión se ve socavado. Con los tipos de interés nominales llevados a cero, o casi cero, por la competencia con un activo monetario de alta rentabilidad, no habría ningún mecanismo de precios en lo que queda de esos mercados. Con los mercados financieros efectivamente eutanasiados, los precios de los bienes y activos físicos restantes se moverían en direcciones perversas. Por ejemplo, un mayor deseo de ahorrar no podría empujar los tipos de interés a la baja (y, por tanto, estimular la inversión), sino que provocaría un mayor acaparamiento de dinero, lo que haría bajar aún más los precios al consumo y haría menos atractiva la inversión en la producción de bienes de consumo. Una inflación moderada, una vez incorporada su expectativa a los tipos de interés nominales, daría a esos tipos de interés espacio para subir y bajar en respuesta a los cambios en las oportunidades de inversión, o a las preferencias de los ahorradores, y permitiría así que los mercados financieros funcionaran de forma más normal.

Subsidio por coste de la vida

El poder adquisitivo real de los pagos fijos se ve erosionado por la inflación, a menos que se ajusten a ésta para mantener sus valores reales constantes. En muchos países, los contratos de trabajo, las prestaciones de jubilación y los derechos gubernamentales (como la seguridad social) están vinculados a un índice del coste de la vida, normalmente el índice de precios al consumo. Un *ajuste del coste de la vida* (COLA) ajusta los salarios en función de los cambios en un índice del coste de la vida. No controla la inflación, sino que trata de mitigar las consecuencias de la misma para las personas con ingresos fijos. Los salarios suelen ajustarse anualmente en las economías de baja inflación. Durante la hiperinflación se ajustan con más frecuencia. También pueden estar vinculados a un índice del coste de la vida que varía según la ubicación geográfica si el empleado se traslada.

Las cláusulas de aumento anual en los contratos de trabajo pueden especificar aumentos porcentuales retroactivos o futuros en el salario de los trabajadores que no están vinculados a ningún índice. Estos aumentos salariales negociados se denominan coloquialmente ajustes del coste de la vida ("COLA") o aumentos del coste de la vida por su similitud con los aumentos vinculados a índices determinados externamente.

Control de la inflación

Política monetaria

La política monetaria es la política aplicada por las autoridades monetarias (en la mayoría de los casos, el banco central de un país) para controlar el tipo de interés -o, lo que es lo mismo, la oferta monetaria- con el fin de controlar la inflación y garantizar la estabilidad de los precios. Unos tipos de interés más altos reducen la oferta monetaria de la economía porque menos personas buscan préstamos. Cuando los bancos conceden préstamos, el producto de los mismos se deposita generalmente en cuentas bancarias que forman parte de la oferta monetaria, ampliándola. Cuando los bancos conceden menos préstamos, disminuye la cantidad de depósitos bancarios y, por tanto, la oferta monetaria. Por ejemplo, a principios de la década de 1980, cuando el tipo de interés de los fondos federales de EE.UU. superó el 15%, la cantidad de dólares de la Reserva Federal cayó un 8,1%, pasando de 8,6 billones de dólares a 7,9 billones.

En la segunda mitad del siglo XX, hubo un debate entre keynesianos y monetaristas sobre el instrumento adecuado para controlar la inflación. Los monetaristas hacen hincapié en una tasa de crecimiento baja y constante de la oferta monetaria, mientras que los keynesianos hacen hincapié en el control de la demanda agregada, reduciendo la demanda durante las expansiones económicas y aumentando la demanda durante las recesiones para mantener la inflación estable. El control de la demanda agregada puede lograrse utilizando la política monetaria o la política fiscal (aumentando los impuestos o reduciendo el gasto público para reducir la demanda). Desde la década de 1980, la mayoría de los países han confiado principalmente en la política monetaria para controlar la inflación. Cuando la inflación supera un nivel aceptable, el banco central del país aumenta el tipo de interés, lo que tenderá a frenar el crecimiento económico y la inflación. Algunos bancos centrales tienen un objetivo de inflación simétrico, mientras que otros sólo reaccionan cuando la inflación supera un determinado umbral.

En el siglo XXI, la mayoría de los economistas son partidarios de una tasa de inflación baja y constante. En la mayoría de los países, los bancos centrales u otras autoridades monetarias se encargan de mantener los tipos de interés y los precios estables y la inflación cerca de una tasa objetivo. Estos objetivos de inflación pueden hacerse públicos o no. En la mayoría de los países de la OCDE, el objetivo de inflación suele estar entre el 2% y el 3%. Los bancos centrales tienen como objetivo una tasa de inflación baja porque creen que una inflación alta es económicamente costosa porque crearía incertidumbre sobre las diferencias en los precios relativos y sobre la propia tasa de inflación. El objetivo es una tasa de inflación positiva baja en lugar de cero o negativa porque esta última podría causar o empeorar las recesiones; una inflación baja (en lugar de cero o negativa) reduce la gravedad de las recesiones económicas al permitir que el mercado laboral se ajuste más rápidamente en una recesión, y reduce el riesgo de que una trampa de liquidez impida que la política monetaria estabilice la economía.

Otros métodos

Tipos de cambio fijos

En un régimen monetario de tipo de cambio fijo, la moneda de un país está vinculada en valor a otra moneda única o a una cesta de otras monedas (o a veces a otra medida de valor, como el oro). Un tipo de cambio fijo suele utilizarse para estabilizar el valor de una moneda con respecto a la moneda a la que está vinculada. También puede utilizarse como medio para controlar la inflación. Sin embargo, cuando el valor de la moneda de referencia sube y baja, también lo hace la moneda vinculada a ella. Esto significa esencialmente que la tasa de inflación en el país de tipo de cambio fijo está determinada por la tasa de inflación del país al que está vinculada la moneda. Además, un tipo de cambio fijo impide a un gobierno utilizar la política monetaria nacional para lograr la estabilidad macroeconómica.

En virtud del acuerdo de Bretton Woods, la mayoría de los países del mundo tenían monedas fijadas al dólar estadounidense. Esto limitaba la inflación en esos países, pero también los exponía al peligro de ataques especulativos. Tras la ruptura del acuerdo de Bretton Woods a principios de la década de 1970, los países pasaron gradualmente a tener tipos de cambio flotantes. Sin embargo, a finales del siglo XX, algunos países volvieron a un tipo de cambio fijo como parte de un intento de controlar la inflación. Esta política de utilizar un tipo de cambio fijo para controlar la inflación se utilizó en muchos países en Sudamérica a finales del siglo XX (por ejemplo, Argentina (1991-2002), Bolivia, Brasil, Chile, Pakistán, etc.).

Estándar de oro

El patrón oro es un sistema monetario en el que el medio de cambio común de una región son los billetes de papel (u otra ficha monetaria) que normalmente son libremente convertibles en cantidades fijas y preestablecidas de oro. El patrón especifica cómo se aplicará el respaldo en oro, incluida la cantidad de especie por unidad monetaria. La moneda en sí no tiene *un valor innato*, pero es aceptada por los comerciantes porque puede ser canjeada por la especie equivalente. Un certificado de plata estadounidense, por ejemplo, puede canjearse por una pieza de plata real.

El patrón oro se abandonó parcialmente con la adopción internacional del sistema de Bretton Woods. Bajo este sistema, todas las demás monedas importantes estaban vinculadas a tipos fijos al dólar estadounidense, que a su vez estaba vinculado por el gobierno de Estados Unidos al oro a razón de 35 dólares por onza. El sistema de Bretton Woods se rompió en 1971, lo que provocó que la mayoría de los países pasaran a utilizar dinero fiduciario, es decir, dinero respaldado únicamente por las leyes del país.

Bajo un patrón oro, la tasa de inflación (o deflación) a largo plazo estaría determinada por la tasa de crecimiento de la oferta de oro en relación con la producción total. Los críticos argumentan que esto provocaría fluctuaciones arbitrarias en la tasa de inflación, y que la política monetaria estaría determinada esencialmente por la extracción de oro.

Controles salariales y de precios

Otro método intentado en el pasado han sido los controles de salarios y precios ("políticas de ingresos"). Los controles de salarios y precios han tenido éxito en entornos de guerra en combinación con el racionamiento. Sin embargo, su uso en otros contextos es mucho más variado. Entre los fracasos notables de su uso se encuentra la imposición de controles de salarios y precios en 1972 por parte de Richard Nixon. Otros ejemplos más exitosos son el Acuerdo de Precios e Ingresos en Australia y el Acuerdo de Wassenaar en los Países Bajos.

En general, los controles salariales y de precios se consideran una medida temporal y excepcional, que sólo es eficaz cuando se combina con políticas destinadas a reducir las causas subyacentes de la inflación durante el régimen de control de salarios y precios, por ejemplo, ganar la guerra que se está librando. A menudo tienen efectos perversos, debido a las señales distorsionadas que envían al mercado. Los precios artificialmente bajos suelen provocar el racionamiento y la escasez y desalientan la inversión futura, lo que provoca aún más escasez. El análisis económico habitual es que todo producto o servicio que tiene un precio inferior al normal se consume en exceso. Por ejemplo, si el precio oficial del pan es demasiado bajo, habrá muy poco pan a precios oficiales y muy poca inversión en la fabricación de pan por parte del mercado para satisfacer las necesidades futuras, lo que agravará el problema a largo plazo.

Los controles temporales pueden *complementar* una recesión como forma de luchar contra la inflación: los controles hacen que la recesión sea más eficiente como forma de luchar contra la inflación (reduciendo la necesidad de aumentar el desempleo), mientras que la recesión evita los tipos de distorsiones que los controles causan cuando la demanda es alta. Sin embargo, en general el consejo de los economistas es no imponer controles de precios, sino liberalizarlos asumiendo que la economía se ajustará y abandonará la actividad económica no rentable. La menor actividad supondrá una menor demanda de los productos básicos que impulsaban la inflación, ya sea mano de obra o recursos, y la inflación caerá con la producción económica total. Esto suele producir una grave recesión, ya que la capacidad productiva se reasigna y, por tanto, suele ser muy impopular entre las personas cuyos medios de vida se destruyen (véase destrucción creativa).

Banco Central Europeo

El **Banco Central Europeo** (**BCE**) es el principal componente del Eurosistema y del Sistema Europeo de Bancos Centrales (SEBC), así como una de las siete instituciones de la Unión Europea. Es uno de los bancos centrales más importantes del mundo.

El Consejo de Gobierno del BCE elabora la política monetaria de la zona del euro y de la Unión Europea, administra las reservas de divisas de los Estados miembros de la UE, realiza operaciones de cambio de divisas y define los objetivos monetarios intermedios y el tipo de interés básico de la UE. El Comité Ejecutivo del BCE aplica las políticas y decisiones del Consejo de Gobierno, y puede dar instrucciones a los bancos centrales nacionales al respecto. El BCE tiene el derecho exclusivo de autorizar la emisión de billetes en euros. Los Estados miembros pueden emitir monedas en euros, pero su volumen debe ser aprobado previamente por el BCE. El banco también gestiona el sistema de pagos TARGET2.

El BCE fue creado por el Tratado de Ámsterdam en mayo de 1999 con el objetivo de garantizar y mantener la estabilidad de precios. El 1 de diciembre de 2009 entró en vigor el Tratado de Lisboa y el banco adquirió la condición oficial de institución de la UE. Cuando se creó el BCE, abarcaba una eurozona de once miembros. Desde entonces, Grecia se incorporó en enero de 2001, Eslovenia en enero de 2007, Chipre y Malta en enero de 2008, Eslovaquia en enero de 2009, Estonia en enero de 2011, Letonia en enero de 2014 y Lituania en enero de 2015. La actual presidenta del BCE es Christine Lagarde. Con sede en Fráncfort (Alemania), el banco ocupaba la Eurotower antes de la construcción de su nueva sede.

El BCE se rige directamente por la legislación de la Unión Europea. Su capital social, de 11.000 millones de euros, es propiedad de los 27 bancos centrales de los Estados miembros de la UE en calidad de accionistas. La clave de reparto inicial del capital se determinó en 1998 en función de la población y el PIB de los Estados, pero desde entonces se ha reajustado. Las acciones del BCE no son transferibles y no pueden utilizarse como garantía.

Historia

Primeros años del BCE (1998-2007)

El Banco Central Europeo es el sucesor de *facto* del Instituto Monetario Europeo (IME). El IME se creó al inicio de la segunda fase de la Unión Económica y Monetaria (UEM) de la UE para ocuparse de las cuestiones transitorias de los Estados que adoptaron el euro y preparar la creación del BCE y del Sistema Europeo de Bancos Centrales (SEBC). El IME tomó el relevo del anterior Fondo Europeo de Cooperación Monetaria (FCE).

El BCE sustituyó formalmente al IME el 1 de junio de 1998 en virtud del Tratado de la Unión Europea (TUE, Tratado de Maastricht), aunque no ejerció sus plenos poderes hasta la introducción del euro el 1 de enero de 1999, lo que supuso la tercera fase de la UEM. El banco era la última institución necesaria para la UEM, tal y como señalaban los informes sobre la UEM de Pierre Werner y el Presidente Jacques Delors. Se creó el 1 de junio de 1998.

El primer presidente del Banco fue Wim Duisenberg, antiguo presidente del banco central holandés y del Instituto Monetario Europeo. Aunque Duisenberg había sido director del IME (en sustitución del belga Alexandre Lamfalussy) justo antes de la creación del BCE, el gobierno francés quería que Jean-Claude Trichet, antiguo director del banco central francés, fuera el primer presidente del BCE. Los franceses argumentaron que, dado que el BCE iba a estar ubicado en Alemania, su presidente debía ser francés. A esto se opusieron los gobiernos alemán, holandés y belga, que veían a Duisenberg como garante de un euro fuerte. Las tensiones se calmaron gracias a un acuerdo de caballeros por el que Duisenberg dimitiría antes del final de su mandato, para ser sustituido por Trichet.

Trichet sustituyó a Duisenberg como presidente en noviembre de 2003. Hasta 2007, el BCE había conseguido con mucho éxito mantener la inflación cerca pero por debajo del 2%.

La respuesta del BCE a las crisis financieras (2008-2014

El Banco Central Europeo sufrió una profunda transformación interna al enfrentarse a la crisis financiera mundial y a la crisis de la deuda de la eurozona.

Respuesta temprana a la crisis de la deuda de la eurozona

La llamada *crisis de la deuda europea* comenzó después de que el nuevo gobierno electo de Grecia descubriera el nivel real de endeudamiento y déficit presupuestario y advirtiera a las instituciones de la UE del peligro inminente de un impago soberano griego.

En previsión de un posible impago de la deuda soberana en la zona del euro, el público en general, las instituciones internacionales y europeas y la comunidad financiera reevaluaron la situación económica y la solvencia de algunos Estados miembros de la zona del euro, en particular los países del sur.

En consecuencia, los rendimientos de los bonos soberanos de varios países de la eurozona empezaron a subir bruscamente. Esto provocó un pánico autocumplido en los mercados financieros: cuanto más aumentaban los rendimientos de los bonos griegos, más probable era un impago, y más aumentaban a su vez los rendimientos de los bonos.

Este pánico también se vio agravado por la incapacidad del BCE de reaccionar e intervenir en los mercados de bonos soberanos por dos razones. En primer lugar, porque el marco jurídico del BCE prohíbe normalmente la compra de bonos soberanos (artículo 123. TFUE), lo que impidió que el BCE aplicara una flexibilización cuantitativa como hicieron la Reserva Federal y el Banco de Inglaterra ya en 2008, que desempeñó un importante papel en la estabilización de los mercados.

En segundo lugar, una decisión del BCE tomada en 2005 introdujo una calificación crediticia mínima (BBB-) para que todos los bonos soberanos de la eurozona fueran elegibles como garantía para las operaciones de mercado abierto del BCE. Esto significaba que si una agencia de calificación privada rebajaba la calificación de un bono soberano por debajo de ese umbral, muchos bancos se convertirían repentinamente en ilíquidos porque perderían el acceso a las operaciones de refinanciación del BCE. Según el ex miembro del Consejo de Gobierno del BCE Athanasios Orphanides, este cambio en el marco de garantías del BCE "plantó la semilla" de la crisis del euro.

Ante estas limitaciones normativas, el BCE dirigido por Jean-Claude Trichet se mostró en 2010 reacio a intervenir para calmar los mercados financieros. Hasta el 6 de mayo de 2010, Trichet negó formalmente en varias conferencias de prensa la posibilidad de que el BCE se embarcara en la compra de bonos soberanos, a pesar de que Grecia, Portugal, España e Italia se enfrentaban a oleadas de rebajas de la calificación crediticia y al aumento de los diferenciales de tipos de interés.

Intervenciones del BCE en el mercado (2010-2011)

En un notable giro de 180 grados, el BCE anunció el 10 de mayo de 2010 la puesta en marcha de un "Programa para el Mercado de Valores" (SMP) que implicaba la compra discrecional de bonos soberanos en los mercados secundarios. Extraordinariamente, la decisión fue tomada por el Consejo de Gobierno durante una teleconferencia sólo tres días después de la reunión habitual del BCE del 6 de mayo (cuando Trichet todavía negaba la posibilidad de comprar bonos soberanos). El BCE justificó esta decisión por la necesidad de "hacer frente a las graves tensiones en los mercados financieros". La decisión también coincidió con la decisión de los líderes de la UE del 10 de mayo de establecer el mecanismo europeo de estabilización financiera, que serviría como fondo de lucha contra la crisis para salvaguardar la zona del euro de futuras crisis de deuda soberana.

Las compras de bonos del BCE se centraron principalmente en la deuda española e italiana. Su objetivo era amortiguar la especulación internacional contra esos países y evitar así un contagio de la crisis griega hacia otros países de la eurozona. Se supone que la actividad especulativa disminuirá con el tiempo y el valor de los activos aumentará.

Aunque el SMP supuso una inyección de dinero nuevo en los mercados financieros, todas las inyecciones del BCE se "esterilizaron" mediante la absorción semanal de liquidez. Por tanto, la operación fue neutral para la oferta monetaria global.

En septiembre de 2011, Jürgen Stark, miembro del Consejo del BCE, dimitió en protesta por el "Programa del Mercado de Valores", que implicaba la compra de bonos soberanos de los Estados miembros del Sur, una medida que consideraba equivalente a la financiación monetaria, prohibida por el Tratado de la UE. El *Financial Times Deutschland se refirió* a este episodio como "el fin del BCE tal y como lo conocemos", en referencia a su postura hasta ahora percibida como "de halcón" sobre la inflación y a su histórica influencia del Deutsche Bundesbank.

Hasta el 18 de junio de 2012, el BCE había gastado un total de 212.100 millones de euros (equivalente al 2,2% del PIB de la eurozona) para la compra de bonos que cubren la deuda pura y dura, como parte del Programa de Mercados de Valores.
El BCE obtuvo importantes beneficios del SMP, que se redistribuyeron en gran medida a los países de la eurozona. En 2013, el Eurogrupo decidió reembolsar esos beneficios a Grecia, pero los pagos se suspendieron durante 2014 y 2017 por el conflicto entre Yanis Varoufakis y los ministros del Eurogrupo. En 2018, el Eurogrupo restableció el reembolso de los beneficios. Sin embargo, varias ONG se quejaron de que una parte sustancial de los beneficios del BCE nunca se devolvería a Grecia.

Papel en la Troika (2010-2015)

El BCE desempeñó un papel controvertido en la "Troika" al rechazar toda forma de reestructuración de la deuda pública y privada, obligando a los gobiernos a adoptar programas de rescate y reformas estructurales mediante cartas secretas a los gobiernos italiano, español, griego e irlandés. Además, ha sido acusado de interferir en el referéndum griego de julio de 2015 al restringir la liquidez a los bancos comerciales griegos.

En noviembre de 2010, quedó claro que Irlanda no podría permitirse rescatar a sus bancos en quiebra, y al Anglo Irish Bank en particular, que necesitaba alrededor de 30.000 millones de euros, una suma que el Gobierno obviamente no podía pedir prestada a los mercados financieros cuando el rendimiento de sus bonos se disparaba a niveles comparables a los de los bonos griegos. En su lugar, el Gobierno emitió un "pagaré" (un pagaré) de 31.000 millones de euros a Anglo, que había nacionalizado. A su vez, el banco proporcionó el pagaré como garantía al Banco Central de Irlanda, para poder acceder a la ayuda de liquidez de emergencia (ELA). De este modo, Anglo pudo reembolsar a sus tenedores de bonos. La operación resultó muy controvertida, ya que básicamente trasladaba las deudas privadas del Anglo al balance del gobierno.

Más tarde quedó claro que el BCE desempeñó un papel clave para asegurarse de que el gobierno irlandés no dejara que Anglo incumpliera sus deudas, con el fin de evitar riesgos de inestabilidad financiera. El 15 de octubre y el 6 de noviembre de 2010, el presidente del BCE, Jean-Claude Trichet, envió dos cartas secretas al ministro de finanzas irlandés en las que esencialmente informaba al gobierno irlandés de la posible suspensión de las líneas de crédito del ELA, a menos que el gobierno solicitara un programa de asistencia financiera al Eurogrupo con la condición de realizar más reformas y consolidación fiscal.

A lo largo de 2012 y 2013, el BCE insistió repetidamente en que los pagarés debían devolverse en su totalidad, y rechazó la propuesta del Gobierno de canjearlos por un bono a largo plazo (y menos costoso) hasta febrero de 2013. Además, el BCE insistió en que no se aplicara ninguna reestructuración de la deuda (o bail-in) a los tenedores de bonos de los bancos nacionalizados, una medida que podría haber ahorrado a Irlanda 8.000 millones de euros.

En abril de 2011, el BCE subió los tipos de interés por primera vez desde 2008, del 1% al 1,25%, con un nuevo aumento al 1,50% en julio de 2011. Sin embargo, en 2012-2013 el BCE bajó fuertemente los tipos de interés para fomentar el crecimiento económico, llegando al históricamente bajo 0,25% en noviembre de 2013.

Poco después los tipos se redujeron al 0,15%, y luego, el 4 de septiembre de 2014, el banco central redujo los tipos en dos tercios, del 0,15% al 0,05%. Recientemente, los tipos de interés se redujeron aún más hasta alcanzar el 0,00%, los tipos más bajos de los que se tiene constancia.El Banco Central Europeo no estaba preparado para gestionar la oferta monetaria bajo la crisis de 2008, por lo que no empezó a utilizar el instrumento de la flexibilización cuantitativa hasta 2015.

En un informe aprobado el 13 de marzo de 2014, el Parlamento Europeo criticó el "potencial conflicto de intereses entre el actual papel del BCE en la Troika como "asesor técnico" y su posición como acreedor de los cuatro Estados miembros, así como su mandato según el Tratado". El informe fue dirigido por el eurodiputado austriaco de derechas Othmar Karas y la eurodiputada socialista francesa Liem Hoang Ngoc.

La respuesta del BCE con Mario Draghi (2012-2015)

El 1 de noviembre de 2011, Mario Draghi sustituyó a Jean-Claude Trichet como presidente del BCE. Este cambio de liderazgo marca también el inicio de una nueva era en la que el BCE será cada vez más intervencionista y acabará con la crisis de la deuda soberana de la eurozona.

La presidencia de Draghi comenzó con el impresionante lanzamiento de una nueva ronda de préstamos al 1% de interés con un plazo de tres años (36 meses): las **operaciones de refinanciación a largo plazo (LTRO)**. En el marco de este programa, 523 bancos recurrieron a nada menos que 489.200 millones de euros (640.000 millones de dólares). A los observadores les sorprendió el volumen de los préstamos concedidos cuando se puso en marcha. Los bancos de Grecia, Irlanda, Italia y España fueron, con diferencia, los que más dinero utilizaron, 325.000 millones de euros. Aunque estos préstamos LTRO no beneficiaron directamente a los gobiernos de la UE, permitieron a los bancos realizar una operación de carry trade, prestando los préstamos LTRO a los gobiernos con un margen de interés. La operación también facilitó la refinanciación de 200.000 millones de euros de deudas bancarias que vencen en los tres primeros meses de 2012.

"Lo que haga falta" (26 de julio de 2012)

Ante los renovados temores sobre los soberanos de la eurozona, Mario Draghi pronunció un discurso decisivo en Londres, al declarar que el BCE "...está dispuesto a hacer *lo que sea necesario* para preservar el euro. Y créanme, será suficiente". Ante la lentitud de los avances políticos para resolver la crisis de la eurozona, la declaración de Draghi ha sido considerada como un punto de inflexión clave en la crisis de la eurozona, ya que fue inmediatamente acogida por los líderes europeos, y provocó un descenso constante de los rendimientos de los bonos de los países de la eurozona, en particular de España, Italia y Francia.

Tras el discurso de Draghi, el 6 de septiembre de 2012 el BCE anunció el programa de **Transacciones Monetarias Directas** (OMT). A diferencia del anterior programa SMP, la OMT no tiene límite de tiempo ni de tamaño ex ante. Sin embargo, la activación de las compras sigue condicionada a la adhesión del país beneficiario a un programa de ajuste al MEDE. El programa fue adoptado casi por unanimidad, siendo el presidente del Bundesbank, Jens Weidmann, el único miembro del Consejo de Gobierno del BCE que votó en contra.

Aunque la OMT nunca llegó a aplicarse realmente hasta hoy, hizo creíble la promesa de "lo que haga falta" y contribuyó significativamente a estabilizar los mercados financieros y a poner fin a la crisis de la deuda soberana. Según diversas fuentes, el programa de OMT y los discursos de "lo que haga falta" fueron posibles porque los líderes de la UE acordaron previamente construir la unión bancaria.

Baja inflación y flexibilización cuantitativa (2015-2019)

En noviembre de 2014, el banco se trasladó a su nueva sede, mientras que el edificio Eurotower se dedicó a acoger las actividades de supervisión del BCE recientemente establecidas en el marco del Mecanismo Único de Supervisión.

Aunque la crisis de la deuda soberana estaba casi resuelta en 2014, el BCE empezó a enfrentarse a un reiterado descenso de la tasa de inflación de la zona euro, lo que indicaba que la economía se encaminaba hacia una deflación. En respuesta a esta amenaza, el BCE anunció el 4 de septiembre de 2014 la puesta en marcha de dos programas de compra de bonos: el Programa de Compra de Bonos Cubiertos (CBPP3) y el Programa de Valores Respaldados por Activos (ABSPP).

El 22 de enero de 2015, el BCE anunció la ampliación de estos programas dentro de un programa de "flexibilización cuantitativa" en toda regla que también incluía los bonos soberanos, por un importe de 60.000 millones de euros al mes hasta al menos septiembre de 2016. El programa se inició el 9 de marzo de 2015.

El 8 de junio de 2016, el BCE añadió los bonos corporativos a su cartera de compras de activos con el lanzamiento del programa de compras del sector corporativo (CSPP). En el marco de este programa, llevó a cabo compras netas de bonos corporativos hasta enero de 2019 para alcanzar unos 177.000 millones de euros. Aunque el programa se detuvo durante 11 meses en enero de 2019, el BCE reanudó las compras netas en noviembre de 2019.

En 2021, el tamaño del programa de flexibilización cuantitativa del BCE había alcanzado los 2.947.000 millones de euros.

La era de Christine Lagarde (2019-)

En julio de 2019, los líderes de la UE nombraron a Christine Lagarde para sustituir a Mario Draghi como presidente del BCE. Lagarde dimitió de su cargo de directora gerente del Fondo Monetario Internacional en julio de 2019 y asumió formalmente la presidencia del BCE el 1 de noviembre de 2019.

Lagarde señaló inmediatamente un cambio de estilo en la dirección del BCE. Embarcó al BCE en una revisión estratégica de su estrategia de política monetaria, un ejercicio que el BCE no había hecho en 17 años. Como parte de este ejercicio, Lagarde se comprometió a que el BCE estudiara cómo podría contribuir la política monetaria a abordar el cambio climático, y prometió que "no se dejaría ninguna piedra sin remover". La presidenta del BCE también adoptó un cambio de estilo de comunicación, en particular en su uso de las redes sociales para promover la igualdad de género, y abriendo el diálogo con las partes interesadas de la sociedad civil.

Respuesta a la crisis de COVID-19

Sin embargo, las ambiciones de Lagarde se vieron rápidamente frenadas con el estallido de la crisis de la pandemia COVID-19.

En marzo de 2020, el BCE respondió con rapidez y audacia poniendo en marcha un paquete de medidas que incluía un nuevo programa de compra de activos: el Programa de Compras de Emergencia para Casos de Pandemia (PEPP) por valor de 1.350.000 millones de euros, cuyo objetivo era reducir los costes de endeudamiento y aumentar los préstamos en la zona del euro. El PEPP se amplió para cubrir 500.000 millones de euros adicionales en diciembre de 2020. El BCE también volvió a conceder más préstamos TLTRO a los bancos a niveles históricamente bajos y con una absorción récord (1,3 billones de euros en junio de 2020). La concesión de préstamos por parte de los bancos a las PYME también se vio facilitada por las medidas de flexibilización de las garantías, así como por otras relajaciones en materia de supervisión. El BCE también reactivó las líneas de swap de divisas y mejoró las líneas de swap existentes con los bancos centrales de todo el mundo.

Revisión de la estrategia

Como consecuencia de la crisis del COVID-19, el BCE amplió la duración de la revisión de la estrategia hasta septiembre de 2021. El 13 de julio de 2021, el BCE presentó los resultados de la revisión de la estrategia, con los siguientes anuncios principales:

- El BCE anunció un nuevo objetivo de inflación del 2% en lugar de su objetivo de inflación "cercano pero inferior al 2%". El BCE también dejó claro que podría sobrepasar su objetivo en determinadas circunstancias.

- El BCE anunció que intentaría incorporar el coste de la vivienda (alquileres imputados) en su medición de la inflación
- El BCE anuncia un plan de acción sobre el cambio climático

El BCE también dijo que llevaría a cabo otra revisión de la estrategia en 2025.

Mandato y objetivo de inflación

A diferencia de muchos otros bancos centrales, el BCE no tiene un *doble mandato en* el que tenga que perseguir dos objetivos igualmente importantes, como la estabilidad de los precios y el pleno empleo (como la Reserva Federal de Estados Unidos). El BCE sólo tiene un objetivo primario -la estabilidad de precios-, al que puede subordinar la consecución de objetivos secundarios.

Mandato principal

El objetivo principal del Banco Central Europeo, establecido en el apartado 1 del artículo 127 del Tratado de Funcionamiento de la Unión Europea, es mantener la estabilidad de los precios en la zona del euro. Sin embargo, los Tratados de la UE no especifican exactamente cómo debe perseguir el BCE este objetivo. El Banco Central Europeo tiene una amplia discreción sobre la forma en que persigue su objetivo de estabilidad de precios, ya que puede decidir por sí mismo el objetivo de inflación, y también puede influir en la forma de medir la inflación.

En octubre de 1998, el Consejo de Gobierno definió la estabilidad de precios como una inflación inferior al 2%, "un incremento interanual del Índice Armonizado de Precios de Consumo (IAPC) para la zona del euro inferior al 2%" y añadió que la estabilidad de precios "debía mantenerse a medio plazo". En mayo del 2003, tras una revisión exhaustiva de la estrategia de política monetaria del BCE, el Consejo de Gobierno aclaró que "en la búsqueda de la estabilidad de precios, su objetivo es mantener las tasas de inflación **por debajo, aunque próximas, al 2% a medio plazo**".

Desde 2016, el presidente del Banco Central Europeo ha ajustado aún más su comunicación, introduciendo la noción de "simetría" en la definición de su objetivo, dejando así claro que el BCE debe responder tanto a las presiones inflacionistas como a las deflacionistas. Como dijo Draghi en su día, "la simetría significaba no sólo que no aceptaríamos una inflación persistentemente baja, sino también que no había un tope de inflación en el 2%".

El 8 de julio de 2021, como resultado de la revisión estratégica dirigida por la nueva presidenta Christine Lagarde, el BCE abandonó oficialmente la definición "por debajo pero cerca del dos por ciento" y adoptó en su lugar un objetivo simétrico del 2%.

Mandato secundario

Sin perjuicio del objetivo de la estabilidad de precios, el Tratado (127 TFUE) también da margen para que el BCE persiga otros objetivos:

"Sin perjuicio del objetivo de estabilidad de precios, el SEBC apoyará las políticas económicas generales de la Unión con el fin de contribuir a la realización de los objetivos de la Unión establecidos en el artículo 3 del Tratado de la Unión Europea."

A menudo se considera que esta disposición legal otorga un "mandato secundario" al BCE, y ofrece amplias justificaciones para que el BCE también dé prioridad a otras consideraciones como el pleno empleo o la protección del medio ambiente, que se mencionan en el artículo 3 del Tratado de la Unión Europea. Al mismo tiempo, los economistas y los comentaristas suelen estar divididos sobre si el BCE debe perseguir esos objetivos secundarios, en particular el impacto medioambiental, y cómo hacerlo. Los funcionarios del BCE también han señalado con frecuencia las posibles contradicciones entre esos objetivos secundarios. Para orientar mejor la actuación del BCE en relación con sus objetivos secundarios, se ha sugerido que estaría justificada una consulta más estrecha con el Parlamento Europeo.

Tareas

Para llevar a cabo su misión principal, las tareas del BCE incluyen

- Definir y aplicar **la política monetaria**
- Gestión de las **operaciones de cambio de divisas**
- **Mantener el sistema de pagos** para promover el buen funcionamiento de la infraestructura de los mercados financieros en el marco del sistema de pagos TARGET2 y de la plataforma técnica actualmente desarrollada para la liquidación de valores en Europa (TARGET2 Securities).
- **Función consultiva:** por ley, se requiere el dictamen del BCE sobre cualquier legislación nacional o de la UE que sea de su competencia.
- **Recogida y elaboración de estadísticas**
- **Cooperación internacional**
- **Emisión de billetes:** el BCE tiene el derecho exclusivo de autorizar la emisión de billetes en euros. Los Estados miembros pueden emitir monedas en euros, pero su importe debe ser autorizado previamente por el BCE (cuando se introdujo el euro, el BCE también tenía el derecho exclusivo de emitir monedas).
- **Estabilidad financiera y política prudencial**
- **Supervisión bancaria:** desde 2013, el BCE se encarga de la supervisión de los bancos sistémicamente relevantes.

Instrumentos de política monetaria

La principal herramienta de política monetaria del banco central europeo es el préstamo garantizado o los acuerdos de recompra. Estas herramientas también las utiliza el Banco de la Reserva Federal de Estados Unidos, pero la Fed realiza más compras directas de activos financieros que su homólogo europeo. La garantía que utiliza el BCE suele ser deuda de alta calidad del sector público y privado.

Todos los préstamos a las entidades de crédito deben estar garantizados según lo dispuesto en el artículo 18 de los Estatutos del SEBC.

Los criterios para determinar la "alta calidad" de la deuda pública han sido condiciones previas para la adhesión a la Unión Europea: la deuda total no debe ser demasiado grande en relación con el producto interior bruto, por ejemplo, y los déficits en un año determinado no deben ser demasiado grandes. Aunque estos criterios son bastante sencillos, una serie de técnicas contables pueden ocultar la realidad subyacente de la solvencia fiscal, o la falta de ella.

Diferencia con la Reserva Federal de Estados Unidos

En el Banco de la Reserva Federal de Estados Unidos, la Reserva Federal compra activos: normalmente, bonos emitidos por el gobierno federal. No hay límite en los bonos que puede comprar y una de las herramientas de que dispone en una crisis financiera es tomar medidas extraordinarias como la compra de grandes cantidades de activos, como papel comercial. El objetivo de estas operaciones es garantizar una liquidez adecuada para el funcionamiento del sistema financiero.

El Eurosistema, por su parte, utiliza los préstamos garantizados como instrumento de incumplimiento. Hay unos 1.500 bancos elegibles que pueden pujar por contratos de repo a corto plazo. La diferencia es que los bancos toman prestado dinero del BCE y deben devolverlo; los plazos cortos permiten ajustar continuamente los tipos de interés. Cuando los pagarés repo vencen, los bancos participantes vuelven a pujar. Un aumento de la cantidad de billetes ofrecidos en la subasta permite un aumento de la liquidez en la economía. Una disminución tiene el efecto contrario. Los contratos se contabilizan en el activo del balance del Banco Central Europeo y los depósitos resultantes en los bancos miembros se contabilizan en el pasivo. En términos sencillos, el pasivo del banco central es el dinero, y un aumento de los depósitos en los bancos miembros, llevados como pasivo por el banco central, significa que se ha puesto más dinero en la economía.

Para poder participar en las subastas, los bancos deben poder ofrecer una prueba de garantía adecuada en forma de préstamos a otras entidades. Puede tratarse de la deuda pública de los Estados miembros, pero también se acepta una gama bastante amplia de títulos bancarios privados. Los requisitos de adhesión a la Unión Europea, bastante estrictos, especialmente en lo que respecta a la deuda soberana como porcentaje del producto interior bruto de cada Estado miembro, están diseñadas para garantizar que los activos ofrecidos al banco como garantía son, al menos en teoría, todos igual de buenos, y todos igual de protegidos del riesgo de inflación.

Organización

El BCE cuenta con cuatro órganos decisorios, que toman todas las decisiones con el objetivo de cumplir el mandato del BCE:

- el Consejo Ejecutivo,
- el Consejo de Gobierno,
- el Consejo General, y • el Consejo de Supervisión.

Órganos de decisión

Comité Ejecutivo

El Comité Ejecutivo es responsable de la aplicación de la política monetaria (definida por el Consejo de Gobierno) y del funcionamiento cotidiano del banco. Puede adoptar decisiones dirigidas a los bancos centrales nacionales y también puede ejercer las facultades que le delegue el Consejo de Gobierno. El presidente del BCE asigna a los miembros del Comité Ejecutivo una cartera de responsabilidades. El Comité Ejecutivo se reúne normalmente todos los martes.

Está compuesto por el Presidente del Banco (actualmente Christine Lagarde), el Vicepresidente

(actualmente Luis de Guindos) y otros cuatro miembros. Todos ellos son nombrados por el
Consejo Europeo para un mandato no renovable de ocho años. Los miembros del Comité Ejecutivo del BCE son nombrados "de entre personas de reconocido prestigio y experiencia profesional en asuntos monetarios o bancarios, de común acuerdo por los Gobiernos de los Estados miembros a nivel de Jefes de Estado o de Gobierno, sobre la base de una recomendación del Consejo, previa consulta al Parlamento Europeo y al Consejo de Gobierno del BCE".

José Manuel González-Páramo, miembro español del Comité Ejecutivo desde junio de 2004, debía dejar el Comité a principios de junio de 2012, pero a finales de mayo no se había nombrado ningún sustituto. Los españoles habían propuesto al barcelonés Antonio Sáinz de Vicuña -un veterano del BCE que dirige su departamento jurídico- como sustituto de González-Páramo ya en enero de 2012, pero se presentaron alternativas de Luxemburgo, Finlandia y Eslovenia y no se tomó ninguna decisión en mayo. Tras una larga batalla política y retrasos debidos a la protesta del Parlamento Europeo por la falta de equilibrio de género en el BCE, el luxemburgués Yves Mersch fue nombrado sustituto de González-Páramo.

En diciembre de 2020, Frank Elderson sucedió a Yves Mersch en el Consejo de Administración del BCE.

Consejo de Gobierno

El Consejo de Gobierno es el principal órgano decisorio del Eurosistema. Está formado por los miembros del Comité Ejecutivo (seis en total) y los gobernadores de los bancos centrales nacionales de los países de la zona del euro (19 en 2015).

Según el artículo 284 del TFUE, el Presidente del Consejo Europeo y un representante de la Comisión Europea pueden asistir a las reuniones como observadores, pero carecen de derecho de voto.

Desde enero de 2015, el BCE publica en su sitio web un resumen de las deliberaciones del Consejo de Gobierno ("cuentas"). Estas publicaciones surgieron como respuesta parcial a las críticas recurrentes
contra la opacidad del BCE. Sin embargo, a diferencia de otros bancos centrales, el BCE sigue sin hacer públicos los registros de voto individuales de los gobernadores que forman parte de su consejo.

Consejo General

El Consejo General es un órgano que se ocupa de las cuestiones transitorias de la adopción del euro, por ejemplo, la fijación de los tipos de cambio de las monedas que se sustituyen por el euro (continuando las tareas del antiguo IME). Seguirá existiendo hasta que todos los Estados miembros de la UE adopten el euro, momento en el que se disolverá. Está compuesto por el Presidente y el Vicepresidente, junto con los gobernadores de todos los bancos centrales nacionales de la UE.

Consejo de Supervisión

El Consejo de Supervisión se reúne dos veces al mes para debatir, planificar y llevar a cabo las tareas de supervisión del BCE. Propone al Consejo de Gobierno proyectos de decisiones con arreglo al procedimiento de no objeción. Está compuesto por el presidente (nombrado por un período no renovable de cinco años), el vicepresidente (elegido entre los miembros del Comité Ejecutivo del BCE), cuatro representantes del BCE y representantes de los supervisores nacionales. Si la autoridad nacional de supervisión designada por un Estado miembro no es un banco central nacional (BCN), el representante de la autoridad competente puede estar acompañado por un representante de su BCN. En estos casos, los representantes se consideran conjuntamente como un solo miembro a efectos del procedimiento de votación.

También incluye el Comité Directivo, que apoya las actividades del consejo de supervisión y prepara las reuniones del consejo. Está compuesto por el Presidente del Consejo de Supervisión, el Vicepresidente del Consejo de Supervisión, un representante del BCE y cinco representantes de los supervisores nacionales. Los cinco representantes de los supervisores nacionales son nombrados por el Consejo de Supervisión por un año, según un sistema de rotación que garantiza una representación equitativa de los países.

Suscripción de capital

El BCE se rige directamente por la legislación europea, pero su configuración se asemeja a la de una sociedad anónima en el sentido de que el BCE tiene accionistas y capital social. Su capital inicial debía ser 5.000 millones de euros y la clave de asignación de capital inicial se determinó en 1998 en función de la población y el PIB de los Estados miembros, pero la clave es ajustable. Los BCN de la zona del euro han tenido que pagar íntegramente sus respectivas suscripciones al capital del BCE. Los BCN de los países no participantes han tenido que pagar el 7% de sus respectivas suscripciones al capital del BCE como contribución a los costes operativos del BCE. De este modo, el BCE se dotó de un capital inicial de algo menos de 4.000 millones de euros. El capital está en manos de los bancos centrales nacionales de los Estados miembros como accionistas. Las acciones del BCE no son transferibles y no pueden utilizarse como garantía. Los BCN son los únicos suscriptores y titulares del capital del BCE.

En la actualidad, el capital del BCE asciende a unos 11.000 millones de euros, que están en manos de los bancos centrales nacionales de los Estados miembros como accionistas. Las participaciones de los BCN en este capital se calculan mediante una clave de capital que refleja la participación de cada miembro en la población total y el producto interior bruto de la UE. El BCE ajusta las participaciones cada cinco años y siempre que cambia el número de BCN contribuyentes. El ajuste se realiza a partir de los datos facilitados por la Comisión Europea.

A continuación se enumeran todos los bancos centrales nacionales (BCN) que poseen una parte del capital social del BCE a partir del 1 de febrero de 2020. Los BCN no pertenecientes a la zona del euro están obligados a desembolsar sólo un porcentaje muy pequeño de su capital suscrito, lo que explica las diferentes magnitudes del capital total desembolsado de la zona del euro y de los no pertenecientes a la zona del euro.

Reservas

Además de las suscripciones de capital, los BCN de los Estados miembros que participan en la zona del euro aportaron al BCE activos exteriores de reserva equivalentes a unos 40.000 millones de euros. Las contribuciones de cada BCN son proporcionales a su participación en el capital suscrito del BCE, mientras que, a cambio, el BCE acredita a cada BCN un activo en euros equivalente a su contribución. El 15% de las aportaciones se realiza en oro, y el 85% restante en dólares estadounidenses y libras esterlinas.

Idiomas

El idioma de trabajo interno del BCE es, por lo general, el inglés o el alemán, y las conferencias de prensa suelen celebrarse en inglés. Las comunicaciones externas se manejan con flexibilidad: Se prefiere el inglés (aunque no exclusivamente) para la comunicación dentro del SEBC (es decir, con otros bancos centrales) y con los mercados financieros; la comunicación con otros organismos nacionales y con los ciudadanos de la UE se realiza normalmente en su idioma respectivo, pero la página web del BCE es predominantemente inglesa; los documentos oficiales, como el Informe Anual, se redactan en las lenguas oficiales de la UE (generalmente inglés, alemán y francés).

En 2022, el BCE publica por primera vez detalles sobre la nacionalidad de su personal, revelando una sobrerrepresentación de alemanes e italianos entre los empleados del BCE, incluso en los puestos directivos.

Independencia

El Banco Central Europeo (y, por extensión, el Eurosistema) suele considerarse el "banco central más independiente del mundo". En términos generales, esto significa que las tareas y políticas del Eurosistema pueden debatirse, diseñarse, decidirse y aplicarse con plena autonomía, sin presiones ni necesidad de recibir instrucciones de ningún organismo externo. La principal justificación de la independencia del BCE es que esta configuración institucional contribuye al mantenimiento de la estabilidad de precios.

En la práctica, la independencia del BCE se rige por cuatro principios fundamentales:

- **Independencia operativa y jurídica**: el BCE tiene todas las competencias necesarias para cumplir su mandato de estabilidad de precios y, por lo tanto, puede dirigir la política monetaria con plena autonomía y mediante un alto grado de discrecionalidad. El Consejo de Gobierno del BCE delibera con un alto grado de secretismo, ya que las actas de las votaciones individuales no se hacen públicas (lo que hace sospechar que los miembros del Consejo de Gobierno votan según las líneas nacionales). Además de las decisiones de política monetaria, el BCE está facultado para dictar reglamentos jurídicamente vinculantes, en el marco de sus competencias, y si se cumplen las condiciones establecidas en el Derecho de la Unión, puede sancionar a los agentes que no cumplan los requisitos legales establecidos en los reglamentos de la Unión directamente aplicables. La personalidad jurídica propia del BCE también le permite celebrar acuerdos jurídicos internacionales con independencia de otras instituciones de la UE, y ser parte en procedimientos judiciales. Por último, el BCE puede organizar su estructura interna como considere oportuno.
- **Independencia personal:** el mandato de los miembros del consejo del BCE es deliberadamente muy largo (8 años) y los gobernadores de los bancos centrales nacionales tienen un mandato mínimo renovable de cinco años. Además, los miembros del Consejo del BCE son ampliamente inmunes a los procedimientos judiciales. De hecho, la destitución sólo puede ser decidida por el Tribunal de Justicia de

la Unión Europea (TJUE), a petición del Consejo de Gobierno del BCE o del Comité Ejecutivo (es decir, el propio BCE). Esta decisión sólo es posible en caso de incapacidad o de falta grave. Los gobernadores nacionales de los bancos centrales nacionales del Eurosistema pueden ser destituidos en virtud de la legislación nacional (con posibilidad de recurso) en caso de que no puedan seguir desempeñando sus funciones o sean culpables de falta grave.

- **Independencia financiera**: el BCE es el único organismo de la UE cuyos estatutos garantizan la independencia presupuestaria mediante sus propios recursos e ingresos. El BCE utiliza sus propios beneficios generados por sus operaciones de política monetaria y

no puede ser técnicamente insolvente. La independencia financiera del BCE refuerza su independencia política. Dado que el BCE no necesita financiación externa y simétricamente tiene prohibido financiación monetaria directa de las instituciones públicas, lo que la protege de posibles presiones de los poderes públicos.

- **Independencia política**: Las instituciones y organismos comunitarios y los gobiernos de los Estados miembros no pueden tratar de influir en los miembros de los órganos rectores del BCE o de los BCN en el desempeño de sus funciones. Simétricamente, las instituciones comunitarias y los gobiernos nacionales están obligados por los tratados a respetar la independencia del BCE. Es esto último lo que es objeto de gran debate.

Responsabilidad democrática

Como contrapartida a su alto grado de independencia y discrecionalidad, el BCE es responsable ante el Parlamento Europeo (y, en menor medida, ante el Tribunal de Cuentas Europeo, el Defensor del Pueblo Europeo y el Tribunal de Justicia de la UE (TJUE)). Aunque no existe ningún acuerdo interinstitucional entre el Parlamento Europeo y el BCE que regule el marco de rendición de cuentas del BCE, éste se ha inspirado en una resolución del Parlamento Europeo adoptada en 1998, que luego se acordó de manera informal con el BCE y se incorporó al reglamento interno del Parlamento.En 2021, la Comisión de Asuntos Económicos y Monetarios del Parlamento Europeo solicitó iniciar negociaciones con el BCE para formalizar y mejorar estos acuerdos de rendición de cuentas.

El marco de responsabilidad incluye cinco mecanismos principales:

- **Informe anual:** el BCE está obligado a publicar informes sobre sus actividades y tiene que dirigir su informe anual al Parlamento Europeo, a la Comisión Europea, al Consejo de la Unión Europea y al Consejo Europeo . A su vez, el Parlamento Europeo evalúa las actividades anteriores del BCE a través de su informe anual sobre el Banco Central Europeo (que es esencialmente una lista de resoluciones no vinculantes).
- **Audiencias trimestrales:** la Comisión de Asuntos Económicos y Monetarios del Parlamento Europeo organiza una audiencia (el "Diálogo Monetario") con el BCE cada trimestre, lo que permite a los parlamentarios dirigir preguntas orales al presidente del BCE.
- **Preguntas parlamentarias:** todos los diputados del Parlamento Europeo tienen derecho a dirigir preguntas por escrito al presidente del BCE. El presidente del BCE proporciona una respuesta por escrito en un plazo aproximado de 6 semanas.
- **Nombramientos:** El Parlamento Europeo es consultado durante el proceso de nombramiento de los miembros del Comité Ejecutivo del BCE.
- **Procedimientos judiciales:** la propia personalidad jurídica del BCE permite a la sociedad civil o a las instituciones públicas presentar denuncias contra el BCE ante el Tribunal de Justicia de la UE.

En 2013, se alcanzó un acuerdo interinstitucional entre el BCE y el Parlamento Europeo en el contexto de la creación de la Supervisión Bancaria del BCE. Este acuerdo otorga al Parlamento Europeo poderes más amplios que la práctica establecida en el ámbito de la política monetaria del BCE. Por ejemplo, en virtud del acuerdo, el Parlamento puede vetar el nombramiento del presidente y el vicepresidente del Consejo de Supervisión del BCE, y puede aprobar las destituciones si así lo solicita el BCE.

Transparencia

Además de su independencia, el BCE está sujeto a obligaciones de transparencia limitadas, en contraste con las normas de las instituciones de la UE y de otros grandes bancos centrales. De hecho, como señala Transparencia Internacional, "los Tratados establecen la transparencia y la apertura como principios de la UE y sus instituciones. Sin embargo, conceden al BCE una exención parcial de estos principios. Según el art. 15(3) del TFUE, el BCE está obligado a respetar los principios de transparencia de la UE "sólo cuando ejerza [sus] funciones administrativas" (la exención - que deja sin definir el término "funciones administrativas"- se aplica igualmente al Tribunal de Justicia de la Unión Europea y al Banco Europeo de Inversiones)."

En la práctica, hay varios ejemplos concretos en los que el BCE es menos transparente que otras instituciones:

- **Secreto de las votaciones**: mientras que otros bancos centrales publican el registro de las votaciones de sus responsables, las decisiones del Consejo de Gobierno del BCE se toman con total discreción. Desde 2014, el BCE publica las "cuentas" de sus reuniones de política monetaria, pero estas siguen siendo bastante vagas y no incluyen las votaciones individuales.

- **Acceso a los documentos** : La obligación de los organismos de la UE de hacer que los documentos sean de libre acceso después de un embargo de 30 años se aplica al BCE. Sin embargo, de acuerdo con el Reglamento interno del BCE, el Consejo de Gobierno puede decidir mantener clasificados los documentos individuales más allá del período de 30 años.
- **Divulgación de valores:** El BCE es menos transparente que la Reserva Federal a la hora de revelar la lista de valores que mantiene en su balance en el marco de operaciones de política monetaria como el QE.

Ubicación

El banco tiene su sede en Ostende (East End), en Fráncfort del Meno. La ciudad es el mayor centro financiero de la eurozona y la ubicación del banco en ella está fijada por el Tratado de Ámsterdam. El banco se trasladó a una nueva sede construida expresamente en 2014, diseñada por un estudio de arquitectura con sede en Viena, Coop Himmelbau. El edificio, de unos 180 metros de altura, irá acompañado de otros edificios secundarios en un terreno ajardinado situado en el emplazamiento del antiguo mercado mayorista en la parte oriental de Fráncfort del Meno. La construcción principal en una superficie total de 120.000 m^2 comenzó en octubre de 2008, y se esperaba que el edificio se convirtiera en un símbolo arquitectónico para Europa. Aunque fue diseñado para albergar al doble de personal que operaba en la antigua Eurotower, el BCE ha conservado ese edificio, debido a que necesita más espacio desde que asumió la responsabilidad de la supervisión bancaria.

Debates en torno al BCE

Debates sobre la independencia del BCE

El debate sobre la independencia del BCE tiene su origen en las fases preparatorias de la construcción de la UEM.

El gobierno alemán aceptó seguir adelante si se respetaban ciertas garantías cruciales, como un Banco Central Europeo independiente de los gobiernos nacionales y protegido de las presiones políticas a semejanza del banco central alemán. El gobierno francés, por su parte, temía que esta independencia supusiera que los políticos dejaran de tener margen de maniobra en el proceso. Se llegó entonces a un compromiso estableciendo un diálogo regular entre el BCE y el Consejo de Ministros de Finanzas de la zona euro, el Eurogrupo.

Argumentos a favor de la independencia

Existe un fuerte consenso entre los economistas sobre el valor de la independencia de los bancos centrales con respecto a la política. Los fundamentos son tanto empíricos como teóricos. Desde el punto de vista teórico, se cree que la incoherencia temporal sugiere la existencia de ciclos económicos políticos en los que los funcionarios elegidos podrían aprovechar las sorpresas políticas para asegurarse la reelección. Por lo tanto, el político que vaya a ser elegido se verá incentivado a introducir políticas monetarias expansivas, reduciendo el desempleo a corto plazo. Lo más probable es que estos efectos sean temporales. Por el contrario, a largo plazo aumentará la inflación, y el desempleo volverá a la tasa natural anulando el efecto positivo. Además, la credibilidad del banco central se deteriorará, dificultando la respuesta del mercado. Además, se han realizado trabajos empíricos que definen y miden la independencia del banco central (CBI), observando la relación de la CBI con la inflación.

Los argumentos contra el exceso de independencia

Una independencia que sería el origen de un déficit democrático.

Desmitificar la independencia de los banqueros centrales :Según Christopher Adolph (2009), la supuesta neutralidad de los banqueros centrales es sólo una fachada legal y no un hecho indiscutible. Para ello, el autor analiza las trayectorias profesionales de los banqueros centrales y las pone en relación con su respectiva toma de decisiones monetarias. Para explicar los resultados de su análisis, utiliza la teoría *del "principal-agente"*. Explica que para crear una nueva entidad se necesita un delegador o *principal* (en este caso los jefes de Estado o de Gobierno de la zona del euro) y un delegado o *agente* (en este caso el BCE). En su ilustración, describe a la comunidad financiera como un "*principal en la sombra*" que influye en la elección de los banqueros centrales, indicando así que los bancos centrales actúan efectivamente como interfaces entre el mundo financiero y los Estados. Por lo tanto, no es de extrañar, siempre según el autor, que vuelvan a tener influencia y preferencias en el nombramiento de los banqueros centrales, presuntamente conservadores, neutrales e imparciales según el modelo del Banco Central Independiente (BCI), que elimina esta famosa "*inconsistencia temporal*". Los banqueros centrales han tenido una vida profesional antes de entrar en el banco central y lo más probable es que su carrera continúe después de su mandato. En definitiva, son seres humanos. Por lo tanto, para el autor, los banqueros centrales tienen intereses propios, basados en sus carreras anteriores y en sus expectativas después de ingresar en el BCE, y tratan de enviar mensajes a sus futuros empleadores potenciales.

La crisis: una oportunidad para imponer su voluntad y ampliar sus poderes :

– *Su participación en la troika* : Gracias a sus tres factores que explican su independencia, el BCE aprovechó esta crisis para aplicar, a través de su participación en la troika, las famosas reformas estructurales en los Estados miembros destinadas a flexibilizar los distintos mercados, en particular el mercado de trabajo, que todavía se consideran demasiado rígidos según el concepto ordoliberal.

- *Supervisión* macroprudencial : Al mismo tiempo, aprovechando la reforma del sistema de supervisión financiera, el Banco de Frankfurt ha adquirido nuevas responsabilidades, como la supervisión macroprudencial, es decir, la supervisión de la prestación de servicios financieros.

-Toma de *libertades en su mandato para salvar el euro* : Paradójicamente, la crisis socavó el discurso ordoliberal del BCE "porque algunos de sus instrumentos, que tuvo que aplicar, se desviaron significativamente de sus principios". Entonces interpretó el paradigma con la suficiente flexibilidad para adaptar su reputación original a estas nuevas condiciones económicas. Se vio obligado a hacerlo como último recurso para salvar su única razón de ser: el euro. Así pues, se vio obligado a ser pragmático apartándose del espíritu de sus estatutos, lo que resulta inaceptable para los partidarios más duros del ordoliberalismo, lo que provocará la dimisión de los dos dirigentes alemanes presentes en el seno del BCE: el gobernador del Bundesbank, Jens WEIDMANN y el miembro del comité ejecutivo del BCE, Jürgen STARK.

– *Regulación del sistema financiero* : La delegación de esta nueva función en el BCE se llevó a cabo con gran sencillez y con el consentimiento de los dirigentes europeos, porque ni la Comisión ni los Estados miembros querían realmente obtener el control de los abusos financieros en toda la zona. En otras palabras, en caso de una nueva crisis financiera, el BCE sería el chivo expiatorio perfecto.

- La captura de la política cambiaria : El acontecimiento que más marcará la politización definitiva del BCE es, por supuesto, la operación lanzada en enero de 2015: la operación de flexibilización cuantitativa (QE). En efecto, el euro es una moneda sobrevalorada en los mercados mundiales frente al dólar y la zona euro corre el riesgo de sufrir deflación. Además, los Estados miembros se encuentran muy endeudados, en parte debido al rescate de sus bancos nacionales. El BCE, como guardián de la estabilidad de la zona euro, decide recomprar gradualmente más de 1.100.000 millones de euros de deuda pública de los Estados miembros. De este modo, se inyecta dinero de nuevo en la economía, el euro se deprecia significativamente, los precios suben, se elimina el riesgo de deflación y los Estados miembros reducen su deuda. Sin embargo, el BCE acaba de otorgarse a sí mismo el derecho de dirigir la política cambiaria de la zona euro sin que esto

por los Tratados o con el beneplácito de los dirigentes europeos, y sin que la opinión pública o el ámbito público se percaten de ello.

En conclusión, para los partidarios de un marco de independencia del BCE, existe una clara concentración de poderes. A la luz de estos hechos, está claro que el BCE ya no es el simple guardián de la estabilidad monetaria en la zona del euro, sino que se ha convertido, en el transcurso de la crisis, en un "actor económico *multicompetente, a gusto en este papel que nadie, especialmente los gobiernos agnósticos de los Estados miembros del euro, parece tener la idea de desafiar*". Este nuevo superactor político, que ha acaparado muchas esferas de competencia y una influencia muy fuerte en el ámbito económico en sentido amplio (economía, finanzas, presupuesto...). Este nuevo superactor político ya no puede actuar solo y se niega a un contrapoder, consustancial a nuestras democracias liberales. De hecho, el estatus de independencia del que goza el BCE por esencia no debería eximirle de una responsabilidad real respecto al proceso democrático.

Los argumentos a favor de un contrapoder

Tras la crisis de la zona del euro, se presentaron varias propuestas de poder compensatorio para hacer frente a las críticas de déficit democrático. Para el economista alemán German Issing (2001), el BCE es una responsabilidad democrática y debería ser más transparente. Según él, esta transparencia podría aportar varias ventajas como la mejora de la eficiencia y de la credibilidad al dar al público una información adecuada. Otros piensan que el BCE debería tener una relación más estrecha con el Parlamento Europeo, que podría desempeñar un papel importante en la evaluación de la responsabilidad democrática del BCE. El desarrollo de nuevas instituciones o la creación de un ministro es otra de las soluciones propuestas:

¿Un ministro para la eurozona?

La idea de un ministro de Finanzas de la eurozona es planteada y apoyada regularmente por ciertas figuras políticas, como Emmanuel Macron, así como la canciller alemana Angela Merkel, el ex presidente del BCE Jean-Claude Trichet y el ex comisario europeo Pierre Moscovici. Para este último, esta postura aportaría "*más legitimidad democrática*" y "*más eficacia*" a la política europea. En su opinión, se trata de fusionar los poderes del Comisario de Economía y Finanzas con los del Presidente del Eurogrupo.

La principal tarea de este ministro sería "representar una autoridad política fuerte que proteja los intereses económicos y presupuestarios de la zona del euro en su conjunto, y no los intereses de los Estados miembros por separado". Según el Instituto Jacques Delors, sus competencias podrían ser las siguientes:

- Supervisar la coordinación de las políticas económicas y presupuestarias
- Aplicación de las normas en caso de infracción
- Negociación en un contexto de crisis
- Contribuir a amortiguar los choques regionales
- Representar a la zona del euro en instituciones y foros internacionales

Para Jean-Claude Trichet, este ministro también podría apoyarse en el grupo de trabajo del Eurogrupo para la preparación y el seguimiento de las reuniones en formato de zona euro, y en el Comité Económico y Financiero para las reuniones que conciernen a todos los Estados miembros. También tendría bajo su autoridad una Secretaría General del Tesoro de la zona euro, cuyas tareas estarían determinadas por los objetivos de la unión presupuestaria que se está creando actualmente

Sin embargo, esta propuesta fue rechazada en 2017 por el Eurogrupo, su presidente, Jeroen Dijsselbloem, habló de la importancia de esta institución en relación con la Comisión Europea.

¿Hacia las instituciones democráticas?

La ausencia de instituciones democráticas, como un Parlamento o un verdadero gobierno, es una crítica habitual al BCE en su gestión de la zona del euro, y se han hecho muchas propuestas al respecto, sobre todo después de la crisis económica, que habrían puesto de manifiesto la necesidad de mejorar la gobernanza de la zona del euro. Para Moïse Sidiropoulos, profesor de economía: "La crisis de la zona euro no ha sido una sorpresa, porque el euro sigue siendo una moneda inacabada, una moneda sin Estado y con una frágil legitimidad política".

El economista francés Thomas Piketty escribió en su blog en 2017 que era esencial dotar a la zona euro de instituciones democráticas. Un gobierno económico podría, por ejemplo, permitirle tener un presupuesto común, impuestos comunes y capacidad de endeudamiento e inversión. Un gobierno así haría que la zona del euro fuera más democrática y transparente, evitando la opacidad de un consejo como el Eurogrupo.

Sin embargo, según él, "*no tiene sentido hablar de un gobierno de la zona euro si no se dice a qué órgano democrático deberá rendir cuentas este gobierno*", un verdadero parlamento de la zona euro al que se deba rendir cuentas un ministro de finanzas parece ser la verdadera prioridad para el economista, que también denuncia la falta de acción en este ámbito.

También se mencionó la creación de una subcomisión en el seno del actual Parlamento Europeo, siguiendo el modelo del Eurogrupo, que actualmente es una subformación de la Comisión ECOFIN.

Esto requeriría una simple modificación del reglamento y evitaría una situación de competencia entre dos asambleas parlamentarias distintas. Por otra parte, el antiguo Presidente de la Comisión Europea había declarado a este respecto que no tenía "ninguna simpatía por la idea de un Parlamento específico de la zona euro".

Sede del Banco Central Europeo

La **sede del Banco Central Europeo (BCE) es** un complejo de edificios de oficinas en Fráncfort, Alemania. Está formado por un rascacielos de dos torres y el antiguo mercado mayorista (*Großmarkthalle*), con un edificio de baja altura que los conecta. Se terminó de construir en 2014 y se inauguró oficialmente el 18 de marzo de 2015.

Los Tratados de la Unión Europea exigen que el BCE tenga su sede en los límites de la ciudad de Fráncfort, el mayor centro financiero de la zona del euro. Anteriormente, el BCE residía en la Eurotorre y, a medida que aumentaban sus funciones debido a la adhesión de los países a la eurozona, en otras tres edificios de gran altura cercanos: el Eurotheum, el Japan Center y la Neue Mainzer Straße 32-36, la antigua sede del Commerzbank.

Arquitectura

El edificio principal de oficinas, construido para el BCE, consta de dos torres unidas por un atrio con cuatro plataformas de intercambio. La torre norte tiene 45 plantas y una altura de techo de 185 m, mientras que la torre sur tiene 43 plantas y una altura de techo de 165 m. Con la antena, la torre norte alcanza una altura de 201 m. La sede del BCE incluye también el Grossmarkthalle, un antiguo mercado mayorista construido entre 1926 y 1928, totalmente renovado para su nueva función.

Historia

Desarrollo

En 1999, el banco convocó un concurso internacional de arquitectura para diseñar un nuevo edificio. Lo ganó un estudio de arquitectura de Viena llamado Coop Himmelb(l)au. El edificio debía tener 185 metros de altura (201 metros con antena), acompañado de otros secundarios edificios en un terreno ajardinado situado en el emplazamiento del antiguo mercado mayorista (Großmarkthalle) en la zona este de Fráncfort. El inicio de las obras principales estaba previsto para octubre de 2008, y su finalización antes de finales de 2011.

La construcción quedó en suspenso en junio de 2008, ya que el BCE no pudo encontrar un contratista que construyera la Skytower por el presupuesto asignado de 500 millones de euros, debido a que la licitación tuvo lugar en el punto álgido de la burbuja previa a la recesión de finales de la década de 2000. Un año más tarde, cuando los precios habían bajado considerablemente, el BCE convocó un nuevo concurso dividido en segmentos.

Autoridad Bancaria Europea

La **Autoridad Bancaria Europea** (**ABE**) es una agencia reguladora de la Unión Europea con sede en París. Entre sus actividades se encuentra la realización de pruebas de resistencia a los bancos europeos para aumentar la transparencia del sistema financiero europeo e identificar los puntos débiles de las estructuras de capital de los bancos.

La ABE está facultada para desautorizar a los reguladores nacionales si no regulan adecuadamente sus bancos. La ABE puede evitar el arbitraje regulatorio y debería permitir a los bancos competir de forma justa en toda la UE. La ABE evitará una carrera a la baja porque los bancos establecidos en jurisdicciones con menos regulación ya no tendrán una ventaja competitiva en comparación con los bancos basados en jurisdicciones con más regulaciones, ya que todos los bancos tendrán que cumplir a partir de ahora la norma paneuropea más estricta.

Historia

La ABE se creó el 1 de enero de 2011, fecha en la que heredó todas las tareas y responsabilidades del Comité de Supervisores Bancarios Europeos (CSBE). En continuidad con la secretaría del CEBS y hasta el 30 de marzo de 2019, estaba ubicada en Londres.

Como consecuencia de la prevista retirada del Reino Unido de la UE, la Comisión Europea trabajó en planes para trasladar la ABE (junto con la Agencia Europea de Medicamentos) fuera del Reino Unido, para mantenerla dentro de los restantes Estados miembros de la UE. Se barajaron las siguientes sedes de la Agencia: Bruselas, Dublín, Fráncfort, Luxemburgo, París, Praga, Viena y Varsovia. Finalmente, París fue seleccionada por sorteo para albergar la ABE, a las 18:40 CET del lunes 20 de noviembre de 2017.

En junio de 2021, la ABE dijo que los bancos de la Unión Europea deben tener un plan decenal que explique cómo van a afrontar los riesgos ambientales, sociales y gubernamentales (ASG) para sus resultados.

Misión y tareas

El principal cometido de la ABE es contribuir, mediante la adopción de Normas Técnicas Vinculantes (NTV) y Directrices, a la creación del código normativo único europeo en el sector bancario. El objetivo del código normativo único es proporcionar un conjunto único de normas cautelares armonizadas para las entidades financieras de toda la UE, contribuyendo a crear unas condiciones equitativas y proporcionando una elevada protección a los depositantes, los inversores y los consumidores.

La Autoridad también desempeña un papel importante en el fomento de la convergencia de las prácticas de supervisión para garantizar una aplicación armonizada de las normas prudenciales. Por último, la ABE tiene el mandato de evaluar los riesgos y vulnerabilidades del sector bancario de la UE mediante, en particular, informes periódicos de evaluación de riesgos y pruebas de resistencia paneuropeas.

Otras tareas establecidas en el mandato de la ABE son:

- investigar la supuesta aplicación incorrecta o insuficiente de la legislación de la UE por parte de las autoridades nacionales
- tomar decisiones dirigidas a las autoridades competentes individuales o a las instituciones financieras en situaciones de emergencia
- mediación para resolver desacuerdos entre autoridades competentes en situaciones transfronterizas
- actuar como órgano consultivo independiente del Parlamento Europeo, el Consejo o la Comisión.

- asumir un papel de liderazgo en el fomento de la transparencia, la sencillez y la equidad en el mercado de productos o servicios financieros para el consumidor en todo el mercado interior.

Para llevar a cabo estas tareas, la ABE puede elaborar una serie de documentos reglamentarios y no reglamentarios, entre los que se encuentran las Normas Técnicas Vinculantes, las Directrices, las Recomendaciones, los Dictámenes, las Preguntas y Respuestas (Q&A) y los informes ad hoc o periódicos. Las Normas Técnicas Vinculantes son actos jurídicos que especifican aspectos concretos de un texto legislativo de la UE (Directiva o Reglamento) y tienen por objeto garantizar una armonización coherente en ámbitos específicos. La ABE elabora proyectos de normas técnicas vinculantes que finalmente son aprobados y adoptados por la Comisión Europea. A diferencia de otros documentos, como las Directrices o las Recomendaciones, las BTS son jurídicamente vinculantes y directamente aplicables en todos los Estados miembros.

Marco común de información

El sistema de información común (COREP) es el marco de información normalizado publicado por la ABE para la presentación de informes de la Directiva sobre requisitos de capital. Abarca el riesgo de crédito, el riesgo de mercado, el riesgo operativo, los fondos propios y los coeficientes de adecuación del capital. Este marco de información ha sido adoptado por casi 30 países europeos. Las entidades reguladas deben presentar periódicamente informes COREP, tanto a título individual como consolidado, utilizando XBRL en las taxonomías de la arquitectura Eurofiling. Todas las entidades reguladas del Reino Unido deben utilizar el COREP para realizar sus informes reglamentarios periódicos a partir del 1 de enero de 2014.

Junta Europea de Riesgo Sistémico

La **Junta Europea de Riesgo Sistémico** (**JERS**) es un grupo creado el 16 de diciembre de 2010 en respuesta a la actual crisis financiera. Se encarga de la supervisión macroprudencial del sistema financiero en la Unión Europea para contribuir a la prevención o mitigación de los riesgos sistémicos para la estabilidad financiera en la UE. Contribuirá al buen funcionamiento del mercado interior y garantizará así una contribución sostenible del sector financiero al crecimiento económico.

La JERS es un organismo de supervisión macroprudencial de la UE y forma parte del Sistema Europeo de Supervisión Financiera (SESF), cuyo objetivo es garantizar la supervisión del sistema financiero de la UE. Como organismo sin personalidad jurídica, la JERS cuenta con la acogida y el apoyo del Banco Central Europeo. Está integrada por representantes del BCE, de los bancos centrales nacionales y de las autoridades de supervisión de los Estados miembros de la UE, así como de la Comisión Europea.

Resumen

El funcionamiento de la Junta se ha encomendado al Banco Central Europeo y el primer presidente de la JERS fue Jean-Claude Trichet. Actualmente, la JERS está presidida por Christine Lagarde, presidenta del BCE. Para aprovechar las estructuras existentes y compatibles, y para minimizar cualquier retraso en el inicio de sus operaciones, el BCE proporciona apoyo analítico, estadístico, administrativo y logístico a la JERS, y el asesoramiento técnico procede también de los bancos centrales nacionales, los supervisores y un comité científico independiente.

Premio Ieke van den Burg a la investigación sobre el riesgo sistémico

El Comité Científico Consultivo de la JERS concede anualmente el **Premio Ieke van den Burg** a las investigaciones más destacadas realizadas por jóvenes académicos sobre un tema relacionado con la misión de la JERS. El premio lleva el nombre de Ieke van den Burg, por su trabajo sobre la estabilidad financiera. El trabajo ganador suele presentarse en la Conferencia Anual de la JERS y publicarse en la Serie de Documentos de Trabajo de la JERS.

Autoridad Europea de Valores y Mercados

La **Autoridad Europea de Valores y Mercados** (**AEVM**) es una autoridad independiente de la Unión Europea con sede en París.

La AEVM sustituyó al Comité de Responsables Europeos de Reglamentación de Valores (CERV) el 1 de enero de 2011. Es una de las tres nuevas Autoridades Europeas de Supervisión creadas dentro del Sistema Europeo de Supervisores Financieros.

Resumen

La AEVM trabaja en el ámbito de la legislación y la regulación de valores para mejorar el funcionamiento de los mercados financieros en Europa, reforzando la protección de los inversores y la cooperación entre las autoridades nacionales competentes.

La idea de la AEVM es establecer un "organismo de vigilancia de los mercados financieros en toda la UE". Una de sus principales tareas es regular las agencias de calificación crediticia. En 2010 las agencias de calificación crediticia fueron criticadas por la falta de transparencia en sus evaluaciones y por un posible conflicto de intereses. Al mismo tiempo, las repercusiones de las calificaciones asignadas pasaron a ser importantes para las empresas y los bancos, pero también para los Estados.

En octubre de 2017, la AEVM organizó su primera conferencia, que se celebró en París. El evento examinó cuestiones críticas para los mercados financieros europeos y contó con 350 participantes.

Medidas de intervención de productos de la AEVM

El 1 de agosto de 2018, la AEVM aplicó restricciones de negociación modificadas relativas a los contratos por diferencia (CFD) y las apuestas por diferencias para los clientes minoristas. El cambio más significativo fue que las opciones binarias quedarán completamente prohibidas, mientras que el apalancamiento de los CFD con el que pueden operar los clientes minoristas se limitará a 30:1 y 2:1, en función de la volatilidad del activo subyacente negociado. Estas restricciones se aplican únicamente a los operadores clasificados como inversores minoristas. Los operadores experimentados, que entran en la categoría de clientes profesionales, quedaron excluidos. Esto también significaba que los clientes profesionales no recibían las mismas protecciones que los inversores minoristas. Las restricciones, impuestas inicialmente como una medida temporal, se renovaron el 1 de febrero de 2019 por un nuevo período de tres meses. El 31 de julio de 2019, la AEVM anunció que no renovará las restricciones cuando expiren el 1 de agosto de 2019, ya que todos los países miembros de la UE han conseguido aplicar restricciones similares a nivel nacional.

Preguntas y respuestas (Q&A)

Para garantizar la aplicación cotidiana y coherente del Derecho de la Unión dentro de las competencias de la AEVM, una de las principales contribuciones de la organización es la elaboración y el mantenimiento de las preguntas y respuestas. Para abrir el proceso, la AEVM puso en marcha en febrero de 2017 un nuevo proceso que permite a las partes interesadas presentar un Q&A. Una vez examinadas, si se seleccionan estas preguntas y respuestas, se publican en inglés en el sitio web de la AEVM.